JN058407

夕暮れに夜明けの歌を

文学を探しにロシアに行く

奈倉有里

イースト・プレス

夕暮れに夜明けの歌を　もくじ

カバー作品　風能奈々 Nana Funo

「誰かの孤独な夜にもぐりこむために」

"For getting into someone's lonely night" 2012

acrylic on canvas　182.0 × 227.5 cm

個人蔵 Private Collection

Courtesy of Tomio Koyama Gallery

photo by Kei Okano

ブックデザイン　鈴木成一デザイン室

I　未知なる恍惚

神よ　人々に　持たざるものを　与えたまえ
――『祈り』ブラート・オクジャワ

一九九一年、横浜市にある賃貸住宅に、どうやらとんでもないらしいニュースが飛び込んできた――「クーデターだ」「どうなった?」「ソ連が崩壊した!」「まさか……」と騒いでいたのは、もうすぐ九歳になるところだった私……ではもちろんなく、父と母だ。ソ連の崩壊は私の最初の「世界的ニュースの記憶」だ。父は日本史の教員だったが、そのころはまだ大学の非常勤講師をしながら調査をしたり論文を書いたりしていて、うちは一家そろって昔の貧乏学生のような家だった。テレビはかろうじて祖母が私の誕生祝いに買ってくれたものがあったが普段は見ない。テレビがつくのは夕方、明日の天気予報をやっているほんの数分間だけだ。でもこのときはそんなテレビにモスクワの街が映し出された。もちろん私にはなにがなんだかさっぱりわからないが、「それん」というものがなくなったのは、いつもは穏やかな両親が血相を変えて慌てふためくような、なにかなのだった。

当時の私はまだロシア語どころか、世界にはどんな言語がどのくらいあるのかも知らなかった。ひとつだけ比較的身近にあった言語はドイツ語だった。母が語学好きで、仕事ではなく趣味としてずっとドイツ語をやっていたのだ。近所に住んでいたドイツの女の人が遊びにきたり、その人の子供と話したりした記憶もあるが、私がドイツ語を覚えることはなかった。なんとなく身近にあるドイツ語はいつまでたってもわからない言語で、特に意識をしたことさえなかった。

ところが、母は私が中学を卒業するころに突然スペイン語をはじめた。家事をするときも寝るときもラジカセをそばに置き、カセットテープに録音しておいたNHKの語学講座やスペイン語のニュースを聞いている。おまけに単語を覚えるために家じゅうの家具に容赦なく油性のマジックでスペイン語を書くので、冷蔵庫にも洗濯機にも電子レンジにも奇妙な単語が書かれている。上下逆さまのクエスチョンマークのついたメモもそこらじゅうに貼ってある。どうして母がいきなりスペイン語に燃えはじめたのかはわからないが、当の本人はやたらと楽しそうだ。しかし私にとっては、知らないうちに耳になじんでいたドイツ語に比べると、突然うちに溢れはじめたスペイン語は異質で、ゆえに妙な存在感があった。といっても私が覚えているのは、母が昼食にオイルサーディンとキャベツのパスタを作りながら「にんにくってスペイン語でアホっていうのよ、短い言葉ってことはそれだけ身近なものってことでもあるわよね」と言っていたことくらいだから、私のスペイン語の知識は「アホ」のまま止まっている。でもとにかくそのころに、ああ、世界にはいろんな言葉があるんだなあ、と意識するようになった。

それで私は高校一年の秋になんとなく、自分もなにか英語以外の言語がやりたいと思った。どうせならいずれは好きな作家の作品を原文で読めるような言葉がいい。そのころ特に好きだったのはゲーテとトルストイだったが、ドイツ語は最初から母のほうができるのだからつまらない。「母のわかる言語なら一緒に学べる」などという発想をしなかったのは思春期のせいだろう。ロシア語なら文字も違うのだから家族も友人も読みかたさえわからないと思うと、秘密の暗号みたいでわくわくした。

まずは辞書を買い、さっそく単語を調べてはマジックで家じゅうに書いてまわった。なんといってもすでにスペイン語が書かれているのだから遠慮はいらない。冷蔵庫、冷凍庫、電子レンジ。よし、悪くない。たいていの単語はスペイン語よりも長かったり複雑だったりして存在感がある。次は洗面所だ。洗面台、鏡、ドライヤー。ドライヤーは黒かったので白い紙をちいさく切って単語を書き、セロハンテープで貼りつけた。そして頭文字のΦという文字を見て、にんまりした。まさに暗号ではないか。

それから、NHKのラジオでロシア語講座を聞こうと思い、近所の本屋でテキストを買ってきた。テキストを見ると、月曜から水曜までが入門編、木曜と金曜には応用編をやっている。普通なら入門編をひととおり聞いてから応用編を聞くべきなのかもしれないが、応用編の内容を見たらとても面白そうだったので、欲張ってそちらも聞くことにした。というのもちょうどそのとき、沼野充義先生が吟遊詩人ブラート・オクジャワ[*1]の歌を読んでいたのだ。たとえば『祈り』と題されたこんな歌である——

神よ　人々に　持たざるものを　与えたまえ
賢い者には　頭を　臆病者には　馬を
幸せな者には　お金を　そして私のことも　お忘れなく……

「でも賢い者なら頭はすでに充分でしょうし、臆病者は馬をもらってももてあましてしまうでしょう、不思議な歌ですね」と解説する沼野先生の飄々とした語り口と、その一風変わった詩に、意味がよくわからないながらも妙に惹かれた。なにより優しく心地よいオクジャワの歌声には、いつまでも聴いていたくなるような魅力があった。
それから、少し大きめの本屋へ行って教科書を物色した。ラジオ講座の入門編をやっていたのが宇多文雄先生だったので名前になじみのあった宇多先生の教科書を買い、ついていたCDを丸暗記した。歩きながらウォークマンで聞いていると、否定生格の過去・現在・未来をすべて「お金」で説明する例文――「金がない、金がなかった、金がないだろう」が登場し、くすくす笑っているうちにいつのまにか覚えていた。CDの最後では宇多先生が自らロシア民謡を歌っており、その哀愁ある歌詞が心に残った。

そんなふうにして基礎だろうと応用だろうと歌だろうと節操なくロシア語という言語に取り組んで数年が経ったころ、単語を書き連ねすぎて疲れた手を止めたとき、突然思いもよらない恍惚とした感覚に襲われてぼうっとなったことがある。なにが起こったのかと当時の私に訊いても、おそらくまともには答えられなかっただろう。そのくらい未知の体験だった――「私」という存在が感じられないくらいに薄れて、自分自身という殻から解放されて楽になるような気がして、その不可思議な多幸感に身を委ねるとますます「私」は真っ白になっていき、その空白にはやく新しい言葉を流し入れたくて心がおどる。ごく幼いころに浮き輪につかまって海に入ったときのような心もとなさを覚えながら、思う――

*1――一九二四~九七。バルド(吟遊詩人)と呼ばれるシンガーソングライター。特に六〇年代から八〇年代にかけて若者を中心に人気を博した。

「私」という存在がもう一度生まれていくみたいだ。いや、思う、というよりは感覚的なもので、そういう心地がした、というのに近い。この時期、それから幾度かそんな体験をした。

いま思えばあれは、語学学習のある段階に訪れる脳の変化からきているのかもしれない——言語というものが思考の根本にあるからこそ得られる、言語学習者の特殊な幸福状態というものがあるのだ。たぶん。

気づけば、進路というものが自分にあるのならロシア語しかない、と気負うようになっていた。思春期の気負いというのは不思議なもので、いちかばちか、どんな荒唐無稽な夢にでも向かっていける気がする。そのころの自分にとっては、選んだ道で「本気を出せるか否か」というのがいちばん大事な基準だった。加えていうなら、逃げ場がないような崖っぷち、という場所を探してもいた。うちに伝わっていた曾祖父の話を思い出したせいもあるかもしれない。戦後まもなくに亡くなった曾祖父については、一九世紀末の日本にしては珍しく若いうちに英語圏に留学し、帰国後は英文学の翻訳をやっていたということ以外は知らなかったが、ただ「ものすごく変わった人だった」と聞いていた。でも、いいじゃないか。本気でやれるなら。世間一般で普通とみなされている道を外れようとも、ものすごく変わった人だと思われようとも、だからなんだっていうんだ。

私はさらに大規模な書店に出かけ、大きな公立図書館にも通い、ロシア語やロシア文学について手に入る本を片っぱしから手にとった。仲良しの女友達と一緒に本屋へ行くと「ほんと、なっくはロシア関連の本をみつけると見境がないね」と笑われた（「なっく」というのは小学生のころからの私のあだ名だ）。高校卒業後、いっときロシア語の専門学校にも通ったが、やはりロシアに行きたいという思いが強くなった。

そうして私がペテルブルグ行きを決めたのは、二〇〇二年から二〇〇三年にかけて——ちょうど二〇歳になる冬のことだった。

当時の私がどのくらいロシア語ができたのかといえば、とりわけ会話にかんしてはてんでだめだった。もともと文章を読んだり書いたりするのが好きだった私は社交的なほうではなく、いわゆる世間話がものすごく苦手である。ただ、人の話に耳を傾けるのは読み書きにも負けないほど好きで、気の置けない仲の友人数人と集まればひたすら黙って友人たちの会話を聞いているだけで幸せな気分になってしまう（ので、よけいなにも喋らない）。ロシア語を学ぶにしても得意なところから好き勝手に学んだので、検定試験を受けた。この傾向は強まるばかりだった。ペテルブルグに行って半年ほどしたころ、検定試験を受けた。ロシアが主催している試験で、日本でも定期的に開催されているが、受けたのはそのときが初めてだった。まずは大学受験資格を得るために必要なレベルの級を受験した。結果として合格はしたのだが、会話の試験だけは落第点だった。即不合格ではなく特別に会話のみの追試を許された(追試はまあ、なんとか合格した)のは、聞きとりの点数がよく、筆記が満点だったからだ。つまりは聞き分けのいい犬のようなもので、聞けばだいたいなんでもわかるのに、うまく言葉が出てこないのである。ガウ。

それからも意識的に会話をがんばったわけではないが、ある時期から言いたいことがあればいくらでも語れるようになった。けれど私はいまでも「聞く」のがいちばん好きだ。

新しい言語を学ぶ——その魅惑の行為を前に、人は新たに歩きはじめる。母語ではとうにありふれたものになっていたものごとを、もうひとつの言語の世界でひとつひとつ覚えるたびに、見知った世界に新しい名前がついていく。それはオクジャワの『祈り』のようでもある——賢い者には頭を、臆病者には馬を……この歌の解釈は多様で、たとえば「賢い者には頭」というのは、賢さとは心で悟るものだから頭脳とは別物だということを、「幸せな者にはお金」が必要なのは、幸福か否かはお金の問題ではないことをそれぞれ暗示しているとする説や、そうではなく全体として一般常識的な固定観念に対する皮肉なのだとする説などがある。けれどもそれらの解釈とはまた別の層にある要素として、この詩には言語への希求のようなものがあるように思えてならない。この詩を読もうとすると、ひとつひとつの単語の辞書的な意味を疑わざるをえなくなり、賢さや幸せという、普段は自明のものと認識している言葉の意味を考えなおすことになる。そうして緩やかにつながる言葉同士の関連性に目を凝らし、意味の核心に迫ろうとするが、核心は近づいたかと思えばまた遠ざかる。「言葉」と「意味」はひとつにはならない、でもだからこそ面白い――そんな感覚が歌にのって伝わってくる。

言語の入口に立とう。目の前にはどこまで続くのかわからない言葉の森がある。ぼんやりと光っているのはなんだろう。坂道の向こうの図書館から漏れている――あれは本の光だ。

2　バイオリン弾きの故郷

泣かないで　お嬢さん　雨は過ぎ去る
——ウラジーミル・ハリトーノフ

初めてロシアに行った二〇〇二年から二〇〇三年にかけての冬、私はもし日本にいれば成人式の年で大人の仲間入りをするはずだったのだが、中身はまだとんでもなく子供だった。

目的地のペテルブルグへは直行便がなく、いちばん安いチケットがコペンハーゲンにトランジットで一泊する経由便だったので、デンマーク（ハムレットの故郷！）に降りたってみたいという好奇心と、一泊くらいどうにかなるだろうと安易な気持ちでチケットと宿を予約し成田を発った。海外など中学生のころ英会話教室のキャンプ（つまりそれはリーダーに連れられてぞろぞろ歩く、遠足のようなものだ）でロッキー山脈に登ったきりまったく行ったことがなかったのに、ロシアに着けばなんとかなると思い込んでいた。どうしてそんな自信があったのかはわからないが、ロシアについては文学と語学を通してしか知らず、その無知が逆に私を大胆にしていた。それまでに読み漁った一九世紀の文学作品に登場する厳しい冬の自然や人々の苦悩は、あたかも母の故郷である雪国新潟で自分が体験した出来事のように記憶に刻まれていた。新潟に住む米農家の祖父がレフ・トルストイを好きだったせいもあり、『アンナ・カレーニナ』のリョーヴィンのくだりを読むときも、農作業にいそしむその姿に重なるのは新潟の田んぼにいる祖父だった。読書体験により作られた私の脳内空間では、ロシアは「ほぼ新潟」――すなわち「ほぼ故郷」だったわけである。

経由地のコペンハーゲンに到着するともう夜であたりは暗く、タクシーを拾いホテルへ向かった。窓の外を吹き荒れる吹雪が想像以上にすごいので、一晩の滞在とはいえ不安がよぎった。タクシーを降りて両替したばかりの見慣れない貨幣を払いホテルの部屋に入る。ところがふと財布を確認すると残金がほとんどない。たった一泊のトランジットでお金を使うこともあるまいと控えめな額しか両替しなかったのは確かだが、どう考えてもさっきのタクシー料金は相場の倍以上だった。いわゆるぼったくりである。仕方ない。明日は早めに出て電車で空港へ向かおう。飛行機にさえ間に合えばいいのだから。

この先とりあえず一年間は一時帰国もしないつもりだったので、私はもちろんエコノミークラスの上限二〇キロ満タンの荷物をスーツケースに詰め込んでおり、そのうえカメラや辞書を入れた手荷物も最高に重かった。手荷物を背負い、雪道に足を取られて動こうとしない重量級のスーツケースをうんうんいいながら押し、切符売り場も見あたらない駅で奇跡的に空港行きの列車を見つけて乗り込み、どうにか空港に着いたまではよかった。ところが、ないのだ。いくら探しても、電光掲示板には私の乗るはずの便がない。空港に響くアナウンスのデンマーク語はもちろん、英語すらさっぱり頭に入ってこない。一メートル先も見えない吹雪の朝、どうにかして辿り着いたコペンハーゲン空港から先に、私は進めなくなっていた。

「どうなさいました」——Tシャツの上にスーツのジャケットという、ソ連映画からそのまま出てきたような初老の紳士に声をかけられ顔をあげると、私は泣いていた。乗るはずの飛行機がないというだけで、人に心配されるくらいあからさまに泣いていたのだ。私がチケットを見せると、その人も同じ便だという。ドミートリーと名乗ったそのおじいさんは、バイオリンのケースを担いでいる。さらに周囲にいた数人が、同じ便だと言って集まってきた。彼らの話すロシア語に安堵してよけいに涙が出た。するとドミートリーは「泣かないで、お嬢さん……」というワンフレーズをロシア語で歌った。誰かが「懐かしい歌ね」と笑った。ずっとあとになって知ったが、一九七〇年代にソ連でヒットした歌謡曲だった。*2

ドミートリーは普段ヨーロッパで活動しているバイオリニストで、休暇でペテルブルグの母親のもとへ帰るところだという。その場に集まった人たちも、めいめいが自分の状況を語った。そうこうするうち私たちの便はやはり欠航だという情報が入った。ほとんどの人は、「空港が手配してくれる宿に泊まり、明日の振替便に乗ろう」と判断してカウンターへ手続きに向かったが、私は躊躇した。ペテルブルグでは留学支援センターの人が出迎えてくれることになっている。迎えの人も私の便の欠航はわかっても、どの振替便に乗るかまではわからないだろう。となると翌日着いたところで、一人で空港から市内へ出て寮を探さなくてはならない。携帯電話もインターネットもまだ普及しておらず、市内へのアクセスも不便だった時代である。おまけに私はコペンハーゲンでさえ、いともたやすくぼったくられたばかりだ。心細い。私が、「迎えがきているはずだから、今日じゅうにペテルブルグに行けないかカウンターで訊いてみます」と言うと、ドミートリーは一瞬考えて

＊2―ウラジーミル・ハリトーノフ（一九二〇〜八一）作詞の『泣かないでお嬢さん』。レフ・レシチェンコ（一九四二〜）やエドゥアルド・ヒーリ（一九三四〜二〇一二）によって歌われた。曲の主題は戦争へ行った恋人を待つ女の子だが、ドミートリーがこの歌を思い出したのは、「雨は過ぎ去る」と続く歌詞がこのときの吹雪に重なったせいかもしれない。

から、自分も早く母に会いたいから一緒に行こうと言い、私たちは宿泊組と別れた。

当日中の到着を希望した人はほかにもいたが、それは容易ではなかった。便が欠航になっている以上、どこかを経由してペテルブルグへ辿り着ける便を探さなければならないが、どの窓口も急ぎの客が長蛇の列を作っている。どうがんばっても私ひとりでは――というより日本のパスポートではどうにもならなかった。ドミートリーはEUのパスポートを持っており、それを使うと魔法のように行列をすり抜けて進める道が開けるのだが、そのたびに「この子は私の連れだ」と説明し、窓口の人が説得されようとされまいと強引に先へ進んだ。結局私たちはまずヘルシンキに飛び、そこから無事ペテルブルグ行きのアエロフロートに搭乗した。

初めて乗ったアエロフロートはかなり小型の機で、がんがんに揺れるなか、クリスマスが近いからと乗客にはシャンパンが振る舞われた。そのどきついシャンパンをひとくち飲んで、ドミートリーは「ナーシェ！」――これぞ故郷の味、と笑った。ペテルブルグに飛行機が着陸した瞬間、人の座っていない座席のシートがバタバタと前のめりに倒れて驚いたが、乗客たちは気にするふうもなく、一斉に拍手をした。私もつられて手を叩いた。いまではあまり見かけなくなったが、着陸と同時に「やったあ、無事に着いたぞ！」と拍手をする、アエロフロートの愉快な習慣である。

ペテルブルグはマイナス二六度だった。タラップを降りると地面が凍っていた。私は「気をつけて」と言われたそばから滑って転びそうになり、ドミートリーにひょい、と子供を抱えるように助けられた。入国手続きを済ませ、辛抱強く待っていてくれた迎えの人に会うと、ドミートリーは「よかった、よかった」とほんとうに安堵したようで、そのままバイオリンをかついで、苗字も告げずにいなくなってしまった。

この年、ペテルブルグはちょうど建都三〇〇周年を祝っていた。日本政府はそのお祝いに桜の苗木を千本プレゼントしたらしく、「極寒のペテルブルグに桜が根付くかどうかが心配され、専門家が調査を……」云々と、ロシアのニュースは報道していた。あいにくその冬はとりわけ寒く、マイナス三六度くらいまで下がった。桜の苗木どころか人間も凍りそうである。偽物のEU人として無理やり到着した私は当然のごとく預け荷物とはぐれており、スーツケースが手元に届くまでには一週間以上かかった。文字どおり着の身着のまま厳寒の空の下に放り出された私は、あいかわらず右も左もわからなかった。海沿いにそびえる一八階建ての寮に入ると、建物入口で提示する通行証と、階の入口の鍵、部屋の最初のドアの鍵（二重ドアなのでふたつ）、その先の二人部屋の鍵……とたくさんの鍵を渡された。それらは日本の一般住宅の鍵のような薄っぺらいものではなく、古代の鍵のように丸みがあってずしりと重い。それがさらにいくつも束ねられた鍵束の重みは、「こんなに鍵をかけなければいけないくらい、ここは治安が悪いのさ」と語っているようだった。実際、当時のこの寮の治安はその後の留学生活すべてと比べて最も悪く、強盗事件や傷害事件の話が絶えなかった。

それでも心のなかには、「知らないところへ来た」不安と一緒に、なぜだか「故郷に来た」という錯覚が共存していた。たいへんなときにはドミートリーの「泣かないで」という歌声が聞こえる気がした。だからなのか、マイナス三〇度の寒さのなかでも、不穏な事件や奇想天外なトラブルの数々に遭遇しても、「故郷」の錯覚はずっとぼんやりと私を守っていた。

雪に新潟を重ねて親しみを感じていたせいもあるかもしれない。けれども雪よりも大切なのは——いや、正確にいうならその「雪」と「故郷」をつなぐ飛躍こそが、本であり空想なのではないか。私は、自分が抱えていた心細さの正体が少しだけわかった。実際にロシアに行ったら、「心のなかに描いた物語の記憶こそが私の懐かしさであり故郷である」という空想が、打ち壊されてしまうのではないかと思うと怖かったのだ。ところがコペンハーゲンで飛行機が欠航しただけで泣いていた私を、バイオリンと一緒に抱えるようにして故郷ペテルブルグに届けてくれたドミートリーは、それまで読んできた文学に対する愛着から生まれる郷愁のようなものを「あながち、嘘でもないかもね」と肯定してしまったのである。そうして、これから待ち受けるだろう苦労も不安も、すべてが早くも「故郷の味」のように思えてくるのだった。

3 合言葉は「バイシュンフ！」

メス犬だからなんだってんだ。

――『モスクワ――ペトゥシキ』ヴェネヂクト・エロフェーエフ

そうして私はペテルブルグ大学の寮に住むことになった。最初に同室になったのはユーリャというペテルブルグ大学の女子学生で、私にとっては初めてできたロシアの友達でもあった。ユーリャといってまず思い出すのは、よく色を変える短めの髪と、バスルームに並ぶたくさんの化粧品。チャーシェンカと呼んでいた（ユーリャとは正反対のタイプの）真面目そうな幼なじみの女友達以外とはあまり広く人づきあいをするほうではなかったが、私に対してはまるで母親のように世話を焼いた。ほかの留学生より年下で同郷の友人などもいない私を心配してくれていたのだろう。読み終わったファッション雑誌をもってきては、「いい？　がんばってロシア語のところを読もうとしたりするんじゃないわよ。あんたが勉強ばっかりしてるから心配してあげてんだから。ほらかっこいいファッションでしょ。こういう写真をパラパラ見ればいいの。くれぐれもそのばかでかい辞書（研究社の露和辞典のことだ）と格闘なんてしないでね」と忠告して置いていったり、母親のくれたつくりおきのおかずをことごとく私に食べさせたりした。

ユーリャは感情の起伏の激しい子で、しょっちゅう電話口に向かって叫んだり泣いたり笑ったりしていた。電話の相手はペテルブルグからバスで数時間のところにある彼女の地元ヴィーボルグに残してきた恋人だ。彼はたまにペテルブルグへ遊びにきて、ときには泊まっていくこともあった。そういうときは二人してよく私に、エッチな言葉や罵倒語を教えてくれた。二人は互いを「キースカ（こねこちゃん、という意味だが、女性器をあらわす隠語でもある）」と呼び合っていた。

ロシア語は罵倒語の種類がたいへん豊富だとはよく言われるが、ロシアに行ったばかりの当時、私は当然のごとくそれらの言葉を知らなかった。常日頃から「私の言ってることでわからない言葉があったらすぐに訊きなさい」と言われていたので、あるとき彼女が電話口で幾度も繰り返していた言葉について訊いてみた――「ねえ、いまの『ブリャーチ』ってどういう意味？」と。ユーリャはよくぞ訊いてくれたとばかりにふふんと笑って、私の机から「ばかでかい辞書」を手にとってひらき、該当する項目を見せた――「（俗）売春婦」。どういう脈絡でこの言葉を叫んでいたのか不思議に思っていると、ユーリャは「ロシア語ではこれはちょっとムカついたり嫌なことがあったり相手に文句言ったりしたいときに使う、ごく普通の言葉なの」と言い、続けて「日本語ではなんていうの?」と訊く。日本語ではそういう状況でこの言葉は使わない、と念を押しつつも「バイシュンフ」と答えると、ユーリャは寮の廊下にまで響き渡る大声で「バイ・シュン・フー!」と叫んでけらけらと笑った。最後の「フー」の音は、ロシア語ではそれだけでも驚きや悔しさを表せる語なので、その偶然も面白かったのだろう。さらに「漢字って絵みたいにひとつひとつ意味があるんでしょ、これも?」というので、「春を、売る、女」と説明すると、ユーリャは「すごくすてきな言葉じゃない!」とたいへん気に入って、ことあるごとに「バイシュンフ!」と叫ぶようになった。ペテルブルグに新たな罵倒語が誕生した瞬間、とでもいおうか。

いまにしてみるとこれは、ソ連時代、地下出版で読み継がれ伝説となったヴェネヂクト・エロフェーエフ[*3]の長編小説『モスクワ――ペトゥシキ』（邦訳『酔どれ列車、モスクワ発ペトゥシキ行』安岡治子訳、国書刊行会、一九九六）における罵倒語の使われかたを思わせる。

　この小説は主人公がひたすらさまざまな酒（や、酒ではないがとりあえずアルコールを含むもの――香水やら靴墨まで）を飲みながら列車に乗り独白を続けるという酔いどれ小説だが、作中にはさまざまな文学作品や文化背景からの引用やパロディがちりばめられ、魂の救済を求める思想的な面もある。とはいえ読んで難解至極というわけではなく、とにかく読者を強引に巻き込みながら雄弁に語り続けるその語り口はなんとも魅力的だ。

小説本文には多くの罵倒語が登場するが、そのひとつが「メス犬」を表す「スーカ」である。この言葉は女性に対し「このメス犬が！」と悪態をつくときにも使われるが、男性について「臆病者、弱いやつ」という意味でも使われるし、さして深い意味もなく「ちっ」と舌打ちする程度のニュアンスで使われることもある。

エロフェーエフの用いかたは一段と独創的で、愛しい人について語る段になって読者に「そんなメス犬をどこで見つけたんだ、と訊きたいだろう？」と問いかける（ロシア文学では伝統的に「作者」が「読者」に語り続ける口調がよく用いられる）。つまり「メス犬」はまず仮定の読者が（本来の読者の意向にかかわらず）語り手の愛する人を小馬鹿にするニュアンスの言葉として登場する。それに対し作者は「メス犬だからなんだってんだ。そのかわり、とびっきりたおやかなメス犬なんだぞ」と、罵倒語を否定するのではなく、愛情を込めるこ

*3——一九三八〜九〇。作家。出版のあてもなく一九六〇〜七〇年代に書いた作品がひそかに読み継がれ、ペレストロイカ期に活字となるが、九〇年に喉頭癌で死去。ソ連非公認文学の伝説的存在となる。

とによりさらりと罵倒語ごと肯定してしまうのである。

日本語で罵倒語というと「汚い言葉」「使うべきではない言葉」というイメージがあるし、腹がたったり悔しかったりしたときに罵倒語を叫ぶ行為は、考えることを放棄しているように思えて抵抗がある人もいるだろう。だからロシア語学習者が罵倒語の多さを知って「どうしてそんなにたくさんあるんだ」と首を傾げることもある。けれどもユーリャの例やエロフェーエフの語りにみてとれるように、罵倒語は、ときに言葉にならないほどの愛しさや感動を表すため、日々ニュアンスや形を変えながら増えてきた一面もあるのだ。

あのときから「バイシュンフ！」は私とユーリャの合言葉になった。驚いたとき、嬉しいとき、怒ったとき、特別いいことがあったとき、私たちはその言葉とともに感情を分け合った。ロシア語における罵倒語の多さは、そこに親しみを重ね合わせる文化に裏打ちされて、脈々と受け継がれてきたのかもしれない。

4　レーニン像とディスコ

数限りない鳥たちをまとったレーニン像が、樹齢一〇〇年の菩提樹を眺めている。
――『コンサート、入場無料』ナターリヤ・クリュチャリョワ

夏休みになると、ユーリャは私を実家へ招待してくれた。このときもやはり、学校と図書館にしか行かない私をひっぱりだし、「このままユリを寮に置いてったら、どうせずっと辞書とにらめっこしてるでしょ。たまにはぼーっとしたり遊んだりしなきゃ！」といったノリで、なかば強制的に小旅行へと連れだしてくれたのである。

ユーリャの実家があるヴィーボルグというのは、ロシアとフィンランドの国境にある人口八万人弱のちいさな街だ。歴史的にはフィンランドであった時代も長く、戦争や内戦の爪痕の残る史跡もある。がたがたと揺れるおんぼろバスで三時間ほど北西へ走ると、高低差のある土地に川が流れヴィーボルグ城がそびえる美しい街が見えてくる。バスを降りたらまずは散策と、ユーリャはバス停前の売店で二人分のビールを買い、私たちは中央広場

に出た。すかさず彼女が「ほら見て、ナーシ・プラホイ・レーニン（我らが悪名高きレーニン）！」と銅像を指さす。ソ連崩壊から一一年半、大都市では撤去されたレーニン像も、地方にはまだまだ残っていた。

歩きながらユーリャは街の歴史を熱心に話してくれた。いくつもあるちいさな教会を見せては、「ほら、あれは正教会、でもあっちはちょっと違うでしょ」と語る。なるほど、さすがは国境の街、正教会のほかにバプテスト派、ペンテコステ派、ルーテル教会、モルモン教の教会と、実にさまざまな教会が建ち並ぶ様子は、なかなかロシアのほかの都市にはみられない。ひととおり付近を巡ると家に向かい、「夕方には彼氏が遊びにくるから、そしたらディスコに行こう」と言う。私が、ディスコやナイトクラブなどというものにはロシアではもちろん日本でも行ったことがない、と言うと、ユーリャはがぜん楽しそうになり「じゃあお洒落しなきゃ！　服貸してあげる！」と目を輝かせた。家に着いたとたんに自分のクローゼットからあれやこれやとワンピースやドレスをひっぱりだし、私に合わせてみる。お母さんも呼んできて、この色が似合うとか、細すぎるから太らせなきゃとか言い合って盛りあがるのを私はなかば他人事のように見守り、ようやく、ユーリャが高校時代によく着ていたという淡い黄緑のノースリーブとスカートのツーピースに落ち着いた。特別に派手ではないが、自分だったらぜったいに買わないような色味の服を着てみると、なんだかそわそわした。

　正直なところちょっと不安だった。ディスコという言葉自体すでに日本語ではほとんど使われなくなって久しく、字面からはどうもバブルの時代のお姉さんたちしか思い浮かばない。ディスコというからには踊る目的で行くのだろうが、いまのロシアでなにが流行っていてどういうダンスを踊ればいいのかなんて見当もつかない。当時の留学生でペテルブルグのディスコによく行くと言っていた子はいたが、私には縁のない話だと思っていた。なのに、まさかこんなところで自分が行くことになるとは。けれどもユーリャがあまりにも楽しそうなので、彼女のダンスを見にいけばいいか、という気になれた。

　ユーリャの恋人が迎えにきて、私たちはディスコへ出かけた。道中ユーリャは恋人と話をしながらも、始終「ユリのディスコデビュー」をプロデュースしようと、髪は耳にかけないほうがかわいいとか、リップを貸してあげるとか言ってはあいかわらずの世話焼きを披露し、私はくすぐったい気持ちでなすがままにされていた。

　外から見るとただの古いアパートのような建物の一室に、その「ディスコ」はあった。薄暗く殺風景な店内には中央に手作り風のカウンターがあるだけだ。周りにはちらほら若者がいるが、まだ早い時間ということもあって空いている。しかし入るなりユーリャは歓声をあげてカウンター付近にいた女の子に抱きついた。相手も「わあ、久しぶり！」とはしゃいでいる。どうやら小中学校時代からの地元の友達らしい。約束をしていたわけでもなさそうだから、ラッキーな偶然だったのだな、と思ったが、それはほんのはじまりだった。

時間が経つごとに、次から次へと入店した若者たちがユーリャに話しかける。ほかの客同士も「久しぶり!」と言い合ってはあちらこちらで昔話に花を咲かせ、さながら同窓会の様相だ。ユーリャは会う人ごとに私を紹介したり、踊ったり、また誰かに抱きついたりと忙しい。頃合いを見計らって「今日、ずいぶん知ってる人が多いみたいだけど、記念日かなにかの集まりなの?」と訊いてみると、「ううん、別に。しいていえば休暇のはじまりだけど、でもここはいつもこんな感じ。この街にはほかに遊ぶ場所がないから、みんな黙ってても週末とか休暇には集まるし、ちいさい街だから同年代はほとんど知り合いだし」という。

なるほど、この街の「ディスコ」というのは、高校を卒業しこの街を出ていったユーリャのような若者たちと街に残った若者たちが、待ち合わせをしなくても再会し語り合える、そんな場所なのだ。流行など気にせずついてきてよかったな、と私は思った。

それからだいぶ経って、私が日本でロシアの作家の翻訳紹介をするようになったばかりのころに、ナターリヤ・クリュチャリョワ[*4]の短編を二作翻訳紹介した（集英社『すばる』二〇一四年八月号）。『ペテルブルグを想う』という、その名の通り作者の愛情と創作の源であるペテルブルグへの想いを語った作品と、『コンサート、入場無料』という、ある片田舎の夏の情景を切りとった作品だ。街角に風が舞い、着飾った小柄なおばあさんが現れる。村のあちこちから、たくさんのおじいさんやおばあさんが集まってくる。だが、どうやらみんな幽霊のようである。中心地のレーニン像のいる広場で曲がはじまり、木の葉の拍手が響くなかで幽霊たちは舞い、照りつける日差しがきらきら光る。やがて「モスクワ郊外の夕べ」が流れると、おばあさんたちは花柄のワンピースを整え、軽やかにワルツを踊る——まるで、ポプラの綿毛のように。[*5]

この作品ではソ連崩壊から数十年が経ってもたたずむレーニン像が、冒頭とラストで印

＊4—一九八一〜。ウラル山脈の西側に位置するペルミ生まれの作家。田舎の老人や障害者や子供など「弱い」人々を描く抒情的な掌編を得意とし、二〇〇六年には優れた短編に贈られる「ユーリー・カザコフ賞」を史上最年少で受賞した。

＊5—ポプラは初夏になるとたくさんの綿毛を飛ばす。ポプラのたくさん植わった並木路などはまるで雪が積もったように白くなり、風に吹かれると踊るように舞い上がる。

象的に描かれている。それは、時代から取り残された田舎を象徴する光景であると同時に、幽霊たちがかつて集っていた「待ち合わせ場所」がいまでも残っていることに安堵して集まってきているのではないかと感じさせる――いわば、時の流れの無常に逆らう不思議な力を秘めた存在のようでもある。

この作品を翻訳したとき、私が思い出していたのはヴィーボルグでのユーリャの記憶だった。あれから二〇年近くの時が経ったが、ヴィーボルグの「悪名高き」レーニン像もまたあいかわらずあの広場に立ち続けている。ちいさな街の変わらぬ光景と、なにはなくとも再会を喜び踊る人々の姿が目に浮かぶ。ユーリャも私もすっかり大人になったけれど、またあの街のディスコに行けば、同じようにユーリャやその幼なじみたちが再会し、踊り、語り合っているような気がしてくる――ずっとそうであってほしいという願いのようなものを込めて、そんな気がするのだ。

5　お城の学校、言葉の魔法

愛の炎の魔法にかかり　僕はひとり　君のもとへ……
――アレクサンドル・ブローク

ペテルブルグで通うことになる学校に初めて着いたとき、目の前に現れたバロック様式のお城のような建物が「学校」だとは、ちょっと信じられなかった。

その語学学校は、ペテルブルグの左端にあるスモーリヌイの建物群のなかにあった。中央にあるスモーリヌイ大聖堂をぐるりと校舎が取り囲む造りのこの学校は、もとはエカテリーナ二世の時代にスモーリヌイ女学院として貴族の子女の教育のために創立された学校であり、帝政時代の女子教育の先駆け的な存在だった。そしてロシア革命期の一九一七年にはここでソヴィエト政権の独立宣言がなされ、首都がモスクワに移されるまでのあいだは革命本部が置かれていた。さらにソ連時代、第二次大戦期には地下が掩体壕（えんたいごう）として利用され、戦後には建物の修復作業がなされて、ペテルブルグの歴史資料展などがおこなわれていたという。

そんな歴史ある建物の一角を借りて授業がおこなわれていた語学学校は、主にヨーロッパからの留学生の多い自由な雰囲気の学校だった。ソ連崩壊から一〇年と少ししか経っていなかった当時、先生たちは留学生の反応をみながらこぞって新しい教育方法を模索し、新しい教科書や問題集の作成に熱心で、その意欲がこちらにもガンガン伝わってきた。

クラス分けのテストを受けて入ったクラスにいたのは、ドイツから来たジルケという女の子と、フランスから来たジャン=フランソワという男の子、イタリア人の男の子二人組、ドイツで育ったロシア系移民の女の子、トルコ人のおじさんといった多彩なメンバーで、会話の授業では先生が楽しそうに「ロシア人はあまり笑わないって言われるけど、実際に来てみてどう？ あなたたちの故郷では街角でもみんな笑っているの？」といった話題をふってでは盛りあがっていた。

会話のほかにも、筆記、文法、映画鑑賞、小話を読む、ロックの歌詞を読む、といった授業があり、それぞれ個性的な先生が教えていたが、私がいちばん好きだったのはエレーナ先生が教える文学精読の授業だった。

茶色い髪を後ろでちいさなおだんごに結いた小柄なエレーナ先生は、四〇歳くらいだろうか。いつもなにかに困惑したような難しい顔つきをしているけれど、話をするとその

「難しい」顔がじっくりとこちらの話に聞き入ってくれるのがわかり、いつまでも話していたくなるような雰囲気がある。服装はいたって素朴で、毎日同じ紺のフリースジャケットを着ていた。日本でも一九九〇年代後半に大ヒットしたフリースは、安価で防寒に役立つのでロシアでも幅広い層に人気を集めていたが、あまり質がいいとはいえないものも多く、連続して着ればすぐに毛羽立った。エレーナ先生の着古してぼろぼろになったジャケットはお世辞にもお洒落とか格好いいとかいう類のものではなく、むしろこの先生はそんなに生活に困窮しているのだろうかとさえ思わせた。

しかしそんなことはすぐにどうでもよくなった。エレーナ先生の服はもちろん、自分の着るものもどうでもよくなった。そのくらい、授業が楽しすぎたのだ。それまで主に散文しか読んでいなかった私は、この先生から初めてロシア語で詩を読む喜びを教わった。エレーナ先生はツヴェターエワ、アフマートワ、ブロークといったいわゆる銀の時代[*6]の王道

*6——一九世紀末から二〇世紀初頭にかけて数多くの詩人が輩出された時代で、象徴主義、未来派、印象派などさまざまな流派が生まれた。ただしこの呼称は当時の詩人たちが自ら用いていたわけではなく、プーシキンの「金の時代」(一九世紀前半)と並ぶ「詩の時代」として、詩人・批評家のウラジーミル・ナルブト(一八八八〜一九三八)、セルゲイ・マコフスキー(一八七七〜一九六二)らが提唱した。

の詩をすらすらといくらでも暗唱する。その朗読があまりにすばらしいので、詩の意味などほとんどわからなくても「あんなふうに読みたい！」と憧れて、寮に帰ってからも配られたプリントに並ぶ言葉をひたすらぶつぶつと繰り返した。

エレーナ先生は毎回必ず全員に同じ宿題を出した——「ひとりひとつずつ、難しい質問を考えてくること！」。そして授業のはじめに宿題のチェックをして、先生はまずそれぞれの質問に答え、その質問が難しければ難しいほど褒められる。たとえば、誰かが第二次大戦期のレニングラード包囲戦について訊く。すると先生はゆっくりと、自分の親や親しい人々の身にどれほどつらいことがあったかを語り、「いまのは精神的に『難しい』質問だけど、難問ではないわね」と締めくくる。私も毎回、本を調べたり、辞書を片っぱしから読んで疑問に思う単語を探しだしたりして、どうしたら「難しい」質問ができるか頭を捻った（ユーリャに「また辞書とにらめっこして！」と言われるのはこういうときだ）。エレーナ先生は難しい質問ならなんでも褒めてくれたが、やはり文学の話題がいちばん嬉しそうだった。ロシア文学の歴史のなかに何度か登場する「緑のランプ」という呼称について訊いたときは、その場でまるで用意してきた講義をするように滔々と語った——それは一八二〇年ごろにプーシキンとその仲間が集ったサークル名でもあり、それから一〇〇年を経て一九二〇年代から三〇年代にかけてメレシコフスキーとギッピウスが開いた亡命文学サロンの名でもある。それぞれに社会的に仄暗い背景があるからこそ灯る、知的な緑の光。そうそう、アレクサンドル・グリーンの同名の短編も忘れちゃいけない……と。

すっかりエレーナ先生の授業に夢中になっていたころ、ある幸運が舞い込んだ。学校が、手違いで私が払った学費に対し授業のコマ数が少なくなっていたから、そのぶん追加で好きな先生の個人授業を受けさせてくれるというのである（いま思えばこれはかなり良心的な対応だ。ロシアの大きな大学が資金の工面のために留学生を受け入れているような場合、在学中に予告なく授業料や寮費が数倍に値上がりした、などという話はざらに聞く）。

私は迷わずエレーナ先生を頼んだ。そうしていつもの授業のほかに、先生と一対一で好きな作品を読み、話をする機会を得てしまった。幸せだった。

ペテルブルグに来て二度目の冬が近づいていた。あたりまえのことだが、夏が白夜なら冬は暗い。朝八時のバスで学校へ向かうときはまだ夜中のように暗く、学校の食堂で昼食をとるころにわずかに空が白むが、午後の授業を受けているうちにまたあっという間に暗くなってしまう。だから通常の授業が終わったあとのエレーナ先生の個人授業はいつも薄暗かった——当時のペテルブルグでよく用いられていた照明は日本でいえばバスルームにあるような電球で、点けても部屋の中央を心もとなく照らすだけで、明るいとは言い難い。

グループの授業がひととおり終わったあと、私は薄暗い廊下をずっと進んだ先のつきあたりにあるちいさな部屋へ向かう。その部屋で私は先生と一緒に、ロシア語をはじめたきっかけでもあるレフ・トルストイを読み、新たに好きになったブロークを読んだ。トルストイなら『クロイツェル・ソナタ』[*7]を読みたいと言うと、エレーナ先生は「個人的にもすごく大事な作品」だからぜひ読もうと言った。あまりに目をぎらぎらと光らせて身を乗りだすので、不意に怖くなったほどだった。授業を進めながら、先生はその理由を話してくれた。『クロイツェル・ソナタ』は、主人公ポズドヌィシェフが妻の浮気を疑い、発見し、嫉妬にかられて刺し殺す話である。先生は過去に、結婚相手に暴力をふるわれ離婚していた。その経緯には相手の「嫉妬」という感情が大きく作用していたという。だからこの作品に関心を持つ理由は過去のつらい話に直結していたのだが、先生は驚くほど率直に、自分の感じたこと、後悔していること、いまでも考えていることなどを打ち明けて、私に「一緒に考えよう」と語りかける。この時期、私はそれまで知らなかった単語をたくさん知り、それを実際に使うことにドキドキしていた。しかも、そのドキドキと一緒に覚えた言葉は決して忘れないのだ。語学学習というと、一般的には表面的な会話や社交辞令のような言葉から入ることが多い。むろんその便宜性、妥当性は充分にあるにしても、しかし私たちの心の底にあるのはもっと根源的な、どろどろとした得体の知れないものだ。そのどろどろを掬って言葉にしていくことは、その言語で思考できるようになるための第一歩なのかもしれない。

　そんなふうに授業を受けていたある日、エレーナ先生がふと「あっ、鳥が……」と窓の外を指した。顔をあげると確かに、雪で覆われた窓のすぐ外にある木の枝に一羽の鳥がとまっていた。先生は、「あなたは絶対にこの瞬間を忘れないわ」と続けた。「一緒に『クロイツェル・ソナタ』を読みながら、恋愛や社会制度や嫉妬や、そのほかありとあらゆる話をしたことも、窓の外には雪が降って、鳥がとまっていたことも。あの鳥を、あなたは絶対に忘れないわ」と。そう言われて、私は「ああ、ほんとうにそうなんだ」と思った。この瞬間を、あの鳥を、私は生涯忘れないだろうと。

　それは言葉の魔法だった。文学に精通していたエレーナ先生は、どういうときにどういう言葉を使えばそこに魔力が宿るのかについても、知り尽くしていた——まさにあの瞬間に（ほかのときではだめなのだ）、私にそうして魔法をかけることで、あの空間やあの鳥が、特別なものになることを。

＊7——一八八七〜八九年執筆。汽車のなかで、語り手の出会ったポズドヌィシェフという男が、かつて自分が犯した罪を切々と告白する。題名は、彼の妻と浮気相手がピアノとバイオリンで協奏したベートーヴェンのバイオリンソナタ第九番からとられている。

進路の相談もした。ペテルブルグ大学の文学部を考えているというと、「やめなさい」と強く言う。大きな総合大学は一般教養が多くて退屈だ、あなたはそんなに文学が好きなのだから、文学を教えてくれる専門の大学に行ったほうがいい。モスクワに文学大学という大学があるからそこへ行きなさい、行くならとにかく早く行って情報を集めなさい、と言うので、私はその言葉だけを頼りにモスクワ行きの夜行列車のチケットをとり、ペテルブルグに別れを告げた。

エレーナ先生のおかげで巡り会ったアレクサンドル・ブローク[*8]という詩人について、私は数年後にモスクワで卒業論文を書き、さらにその一〇年後には東京で博士論文を書くことになるが、このときの私は、なかば無意識的に詩に魅了され、虜になっていた。この「魅了される」という状態は、ブロークの詩の中心的な要素のひとつでもある——

僕は喜びに　向かっていた
道は夕闇の露を　赤く照らし
心のなか　息を呑み　歌っていた
遠い声が　夜明けの歌を〔…〕

心は燃え　声は歌った
夕暮れに　夜明けの音を響かせながら〔…〕

あのとき、薄暗い廊下のつきあたりにある部屋へ進み、エレーナ先生から文学の喜びを教わることに夢中になっていた私が、ふと重なる。あれから出会ったたくさんの人や本が浮かぶ。いつも薄暗いあの「夕暮れ」の教室でエレーナ先生が教えてくれたのは、「夜明け」へと続くたくさんの夜を飛び越えるための、原動力となる憧れだったのだろうか。難しい局面に出会っても、エレーナ先生が忘れ得ぬものにしてくれた「鳥」を思い出すと不思議と力が湧いた。あの魔法は、「忘れない」ことで長く私の力になるということも、先生はわかっていたのかもしれない。まったく、エレーナ先生にはいつまでも敵わない。

＊8——一八八〇～一九二一。ウラジーミル・ソロヴィヨフ（一八五三～一九〇〇）に影響を受けた。「金の時代」を代表する「太陽のような」プーシキンに対し、「銀の時代」を代表する「月のような」詩人。

6 殺人事件と神様

人の愛とは――人から人への、あらゆる人への愛です……
――『黙ってはいられない』レフ・トルストイ

モスクワ生活の幕開けは、とにかく暗澹としていた。とはいえ暮らしにくかったわけではない。冬という中途半端な時期にやってきた私は、とりあえず文学大学の夏の入学試験を目指し、半年間の予定でモスクワ大学の予備科に通うことにした。そこには大学入学を目指す長期留学生と、各国の大学の協定で数ヶ月から一年間の語学留学に来た学生の両方がいた。寮の設備も比較的整っていて（シャワーやキッチンが二～三部屋にひとつあった）、日本の大学から来た留学生にとってもスタンダードな環境という印象だった。

暗澹としていた、と書いた主な理由は社会情勢だ。モスクワへ移った冬、二〇〇四年の二月に地下鉄テロ事件が起きた。朝のラッシュ時に起きた自爆テロで、四〇名以上が死亡し二五〇名以上が負傷した。体に爆弾を巻き犯行に及んだのは、私と同年代のチェチェンの青年だった。一九九九年から続くチェチェンとの戦争の余波は、それまでもモスクワのアパート爆破テロや二〇〇二年の劇場占拠事件といった形で市民を恐怖に陥れていたが、地下鉄というほとんどのモスクワ市民が毎日のように利用する交通機関での大規模テロをきっかけに、その恐怖はさらに色濃くなった。

モスクワ大学予備科の授業は教科書の丸暗記が中心で、ペテルブルグに比べるとだいぶ形式的に感じられたが、会話の授業などではやはり留学生や先生との意見の交換ができた。世界の文化や文学に詳しいフランス人留学生、国際関係学部のフランス系アメリカ移民の学生、イランからの留学生もいたこともあり、時事的な話題が多かった。チェチェン戦争とイラク戦争の話を交互にし、自衛隊のイラク派兵についても話した。

四月の初めの朝、寮のテレビに三人の日本人が映った。ナイフを首に突きつけられて、やっと出した声でノーと言う青年。震えてうずくまる若い女性。何度目かに流れた映像でようやく、青年が「ノー」の後に続けた言葉が「ノー・コイズミ……」だと聞き取れた。映像はここで切れていた。イラク邦人人質事件[*9]だった。

この時期、テロという言葉を聞かない日はなかった。国家・民族間の軋轢で殺伐とした事件が多発する時代のもうひとつの恐ろしさは、必ずといっていいほど同時に高まる排外主義である。「スキンヘッド」と呼ばれるロシアのネオナチが「外国人狩り」をする危険があるので、「ヒトラーの誕生日には外出を控えるように」という主旨のメールが日本領事館から届いていた。ヒトラーの誕生日にどうしてスラヴ人がアジア人狩りをしなければいけないのか皆目見当がつかなかったが、そもそも排外主義は知識や論理とは無縁だ。

モスクワ大学の予備科を終え、文学大学の入学試験に合格した夏、新年度がはじまる直前の八月三一日に、またモスクワの地下鉄でテロが起こった。二月のテロと同じグループの犯行とみられたが、今回は駅構内へ入るところで警察が持ち物検査をしていたために、犯人は地下鉄への乗車をあきらめて改札口付近で自爆、それでも犯人や、（逃げ遅れた）犯行グループの指導者も含め一〇名が死亡、五〇名ほどが負傷した。

持ち物検査やパスポート検査などの取り締まりが強化されていたことにより前回よりは被害が抑えられたと報道されていたが、この「取り締まり」もまた留学生にとっては頭の痛い問題だった。中国・韓国・日本からの留学生は外見で目をつけられることは少ないが、イランからの男子留学生は毎日のように街や地下鉄で警官に呼び止められ尋問を受ける。あるときなどその尋問があまりにつらかったらしく、「もう外へ出たくない、自分の目立ちすぎる鼻が憎い」と泣いていた。

排外主義も強まるばかりだった。二〇〇六年の春、文学大学の最寄駅であるプーシキン駅で殺人事件が起こった。殺されたのはアルメニア人の学生だった。被害者が学生なうえにその現場が毎日利用する駅だったため、この事件はとりわけ身近なものだった。翌日、事件現場にはたくさんの花が供えられ、人々が黙禱を捧げていた。学校帰りに足を止めてその花を眺めていると、知らぬ間に涙が流れた。そばにいた老婦人に「かわいそうに、あなたこの子と同郷なの? お友達なのね?」と声をかけられ、戸惑いつつも「知らない人だけど、悲しい」と答えた。

そのとき、集まっていた人々のなかにいたある男性がその重苦しい沈黙を破るように、拳を振ってリズムをとりながら、大声で「ファシズム撲滅! ファシズム撲滅!」と叫びはじめた。おそらくその場の人々が一緒になって声を出してくれると期待したのだろう。しかし誰もあとに続く人がいないのを見ると、「ファシズム撲滅……」と、フェードアウトするように口を閉ざした。そしてその人に対し「気持ちはわかるが、なにも叫ぶことはないだろう」と誰かが声をかけたのをきっかけに、その場の人々は口々に意見を言いはじ

*9──二〇〇四年、イラクで日本人の青年男女三人が武装勢力に拘束された事件。当時の日本の首相は小泉純一郎。犯行グループは、イラクに駐留していた自衛隊の撤退を要求したが、日本側はこれを拒否。三名はイラク・ムスリム・ウラマー協会の仲介もあり約一週間後に解放されたが、自衛隊派遣の是非、人質へのバッシング世論など多くの問題が残された。

めた。

まず、ひとりの女性が、「アルメニア人が殺されるなんて世も末だわ、キリスト教徒が殺されるなんて!」と嘆いた。ロシアではソ連崩壊後、急激に宗教の復権がなされ、ロシア正教が事実上の国教となっている。しかし「キリスト教徒が殺された」という嘆きには、別の宗教――当時のメディアで朝から晩まで騒がれていた「イスラム教」への意識が感じられ、では殺されたのがイスラム教徒であればこの人はなんとも思わないのだろうか、と思っていたところで、別の初老の女性が「つい最近までは同国人だったのよ!」と続けた。確かにアルメニアは旧ソ連の構成国でもある。しかしそんなことを言えばやはり、ソ連時代からロシアとの軋轢があったり紛争が起こったりしていた地域の人々であれば殺されても仕方ないということになるのだろうか。すると私のすぐ側にいた教師風の中年男性が「そもそもロシア語を学んでいた青年だろう、それなのに殺されるなんて」と主張した。途中で、私と目が合った。ロシア語を学んでいればいいのなら私も仲間に入れてもらえそうだが、しかしそれでは旅行や仕事で来た外国人はロシア語が話せなければ殺されてもいいのか。

そのとき、小柄なおばあさんがひとり歩み出て、言った――「みんな、なにを言ってるの? キリスト教徒だ言語だっていうなら福音書を読みなさい――すべての人類は兄妹なの、すべての、あらゆる人が！」と。それきり、誰もなにも言わなかった。

こんどはさっきとは別の涙が溢れた。かつてお守りのように持ち歩いていたトルストイを思い出したのだ――「兄弟たる人々よ！我にかえり、考え直してください、自分がなにをしているのか自覚してください。〔…〕人の愛とは――人から人への、あらゆる人への愛です、神の子であり、すなわち兄弟である、すべての人への愛です」。私は泣きながら帰った。

日本にいたころ、私にとってその言葉は歴史のなかのものだった。モスクワに来て、まさかトルストイの言葉をこんなに実感をこめて読み返すことになるとは思いもしなかった。当時の日記には、「悲しい現代、悲しい民族などというものは存在しない、悲しい人間がいるだけだ」とある。民族ではない、人なのだ、と繰り返し考えていたのだと思う。憎しみが連鎖していくときこそ、人はもっとも単純で根源的な人類への愛を求めるのかもしれない。

この事件には続報がある。そもそもこれは二〇〇六年四月二二日に地下鉄プーシキン駅で当時まだ一七歳だったアルメニア人学生ヴィゲン・アブラミャンツが心臓にナイフを刺され殺害された事件なのだが、当初、現場でスキンヘッドを目撃したとの情報から犯人は国粋主義団体の若者であるとみられていた。ところが予想に反して逮捕されたのは被害者の友人、一六歳のデニス・クラーギンだった。警察は彼らのあいだに恋人をめぐるトラブルがあったとみて未成年者であるデニスを長時間にわたり不法に拘束、さらに迎えにきた母親に「息子さんは殺人を犯したが、三角関係のもつれと認めれば刑は軽くなる」と促し自白に追い込んだ。だがその後、デニスは一貫して罪を否定。被害者の家族を含め周囲も彼の無罪を主張し、アルメニア人コミュニティーはこの事件の裏に警察による隠蔽があるとみて抗議運動をおこなった。そうして同年九月、防犯カメラなどの証拠から真犯人、一八歳のニキータ・セニュコフの姿が明らかになる。だが彼についての報道はごく僅かだった。被害者側の弁護士によると、彼は警察幹部の息子であり、かねてから「スラヴ同盟」などの国粋主義団体に共鳴。団体の仲間とともに主にカフカス系の若者を狙った傷害事件を繰り返していた。セニュコフは罪を認めたが、その後の処罰などの詳細はわからない。民族問題とあわせて警察組織の問題も垣間見えた事件であった。

7 インガの大事な因果の話

この世界の光は　闇より少しだけ多い……
――『空虚な約束を』アンドレイ・マカレーヴィチ

チェチェン問題は続いていた。[*10] 二〇〇四年の九月一日にはベスラン学校占拠事件が起きた。九月一日というのは小中学校の入学式と始業式が一斉におこなわれる華やかな日で、校内は児童とその保護者でごったがえす。その日の午前、三〇人ほどの武装集団が北オセチアのベスランにある学校を占拠し、児童や保護者、保護者の連れていた乳幼児も含む約一一八一名を人質にとった。人質は狭い体育館に詰め込まれ、水も食料も与えられず

*10――第二次チェチェン戦争（一九九九～二〇〇九）。当初チェチェンでおこなわれていた戦争だが、二〇〇二年のモスクワ劇場占拠事件を皮切りにモスクワをはじめとした各都市に広がり、相次ぐ自爆テロや占拠事件などによって多数の市民が犠牲となった。

五〇時間にわたり拘束され、最終的にはロシアの特殊部隊との銃撃戦になり、児童一八六名、保護者一一一名を含む三五〇名あまりが死亡し七三〇名以上が負傷した。

この当時、寮で同室だったのはインガというドイツから来た女子留学生だった。インガはもともとソ連のドイツ系移民の家庭の子で、カザフスタンに生まれ育ちロシア語で教育を受けていたが、一〇歳のころにソ連が崩壊したのを機に家族とともにドイツに渡り、それから十数年はドイツで育ったという生い立ちの持ち主で、ロシア語もドイツ語もよくできたので、学校に通うかたわらドイツ系の新聞社で通訳のアルバイトをしていた。

インガはもう二〇歳をゆうに超えていたが、話すとどことなく子供のような頼りなさがあった。しばらく不思議に思っていたが、じきにそれは私たちがロシア語で会話しているせいだということがわかった。インガにとってロシア語は子供時代の言葉なのだ。ドイツ語で電話をしているときのインガは大人なのに、切って私と話しだすと途端に子供っぽくなる。自由に話しはするが訛りがあり、語彙が少ない。本人もそれを気にしていた——「ロシア語がうまく話せないのはわかってるの、なんの問題もないってお世辞を言ってくれる人もいるけど、そんなはずはない。いつもいつも『あー、あの言葉、ロシア語でなんていうんだっけ』って考えてるし、うまい表現が出てこないこともよくあるし。じゃあドイツ語ならできるか、っていうとそれもだめ。中学生のころ、作文の授業のときに先生に言われたの。『あなたにとってドイツ語は母語じゃないから作文以前の勉強が必要だ、この先決して、ドイツ語圏で生まれ育った子供と同じように言葉を使いこなせるようにはならない』って」。ひどい教師もいたものである。「つまり私は、ちゃんと知ってる言語がひとつもないってことになるでしょう?」と続けるインガに私は、「でも立派に仕事してるじゃない、新聞の通訳なんてすごいよ」と返したが、「ドイツ語とロシア語のバイリンガルなんていくらでもいる。どっちの言語にも精通してる、私よりずっとすごい人がいて、私なんて偶然ここにいた、いくらでも替えのきくバイトでしかない」と返す。

カザフスタンのドイツ系移民は多難な歴史を背負ってきた。帝政時代にロシアに移住したドイツ人は多く、ロシアでドイツ人社会を形成していた。父方の祖父がドイツ系移民だった詩人アレクサンドル・ブローク[*11]や、小説家のボリス・ピリニャーク[*12]など、ドイツの系

*11―ブロークの高祖父にあたるヨハン=フリードリヒ・ブロックが医者としてドイツのメクレンブルクからロシアへ移住。ロシアに帰化し、イワン・レオンチエヴィチ・ブロークというロシア名を得た。

*12―一八九四~一九三八。作家。父親がヴォルガ・ドイツ人の医者。ピリニャーク自身は訪日がもとで「日本のスパイ」容疑をかけられ粛清の犠牲となった。

譜を受け継ぐ著名人もいる。ロシア革命後、一部のドイツ系移民がヴォルガ川の沿岸に自治共和国を建設する（ヴォルガ・ドイツ人と呼ばれる）が、スターリン政権下で共和国は解体させられ、一部は強制送還され、残った者は主にシベリアとカザフスタンへと移住させられた。そして政府により定められた地域から許可なく移動した場合、二〇年以下の強制労働を義務づけられるという厳しい法令により土地に縛りつけられた。さらに対独戦争のさなか、多くのドイツ系移民がいかなる罪もなく粛清の対象となった。戦後はわずかに名誉回復がなされ、一九七二年以降はドイツ人コミュニティーによる自治を求める声もあがったが、なかなか思わしい結果につながらず、言語や宗教にまつわる多くの問題を抱え続けた。

インガにしかできない仕事はきっとあるはずだ。私は彼女がなにに興味を持っているのか、もっと詳しく知りたいと訊ねた。「たとえばね」とインガは言った。「まだドイツに行ったばかりのころ、ノートにらくがきをしたの。ドイツの国旗。なんとなくよ。私が新しくきた場所のことが知りたくて、なんとなく。でもドイツではぜったいにだめなんだってひどく叱られた。いまロシアにきてみてやっぱり不思議なの。そこらじゅう国旗だらけでしょう。小学生の使うノートの表紙が国旗の色だったり、なにかにつけて街なかで国旗をばらまいたりしてる。どうしてこんなに違うの？ 戦争に勝ったとか負けたとか、ナチスがあまりにもひどいことをしたとか、そういうこと？　でも、だからロシアではいまだに、人を殺したことさえ自慢し続けていていいの？　私が知りたいのはこれに限らずそういう……ロシア語でなんていうのかな、ものごとの原因と結果の結びつきみたいなもの。どうしてそうなったのかっていうこと」と。私は思わず「それは日本語で因果関係というもので、インガの名前と同じ響きだ」と言いかけたが、茶化しているような気がしてやめた。

ベスランの事件から二ヶ月ほどしたころ、インガは通訳として現地の取材に赴いた。翌日、帰ってきたインガは目に見えて憔悴し、呆然としていた。少し落ち着いてから、彼女は話した——事件の現場になった学校にはいまだに体育館の遊具の残骸などが散乱し、凄惨な痕跡が生々しく残っていた。でもいちばんショックを受けたのは現地の人々へのインタビューで、被害者やその親族は爆発音や銃撃の音が聞こえ続けている気がして眠れないなどの理由で重度の不眠症状を訴える人が多く、また現場付近の住民からは「夜になると学校のほうから子供の泣き声が聞こえてくる」という話を盛んに聞かされた。心霊現象のような話だが、そう語る彼らの様子がまるで集団催眠にかかっているかのように真に迫っていて、通訳をしているだけで叫びだしたくなったという。そして「なにか恐ろしいことがおきるとき、『どうして』っていうのはたくさんあるのね」と言い足した。インガはその後もしばらく、部屋で私と二人でいるときにぽつりぽつりと、思い出したように問いかけた――「どうして終わらないの?」「ロシアが国旗をみせびらかすことで、同じ過ちを生んでいるんじゃないの?」と。

そんなあるとき、ラジオをつけるとバラード調の曲が流れていた――

幾百年の世紀をまたぎ　悪がはびころうとも
空がふたたび　煙で覆われようとも
それでもこの世界の生は　死より少しだけ多い
そしてこの世界の光は　闇より少しだけ多い……

インガは「いい歌だね」とだけ言い、久しぶりに微笑った。聞き覚えのある歌声だったが、そのときは誰のなんという歌なのかわからなかった。ただ、暗く沈んでいたインガと私の気持ちを少しだけ明るくしてくれた歌をいつかもう一度聞きたいと思い、歌詞を日記に書き留めた。あとになってこれが人気ロックグループ、マシーナ・ヴレーメニー(ロシア語でタイムマシンの意)のリーダー、アンドレイ・マカレーヴィチ[*13]の『空虚な約束を』という曲だと知った。「空虚な約束や気休めを信じる必要はないけれど」とはじまり、静かな声で「黒と白は均衡にならない」「それが世界を動かしている」と続ける。当時のマカレーヴィチは決して政権批判をしない（どちらかというとすっかり丸くなった「かつてのロックスター」というイメージの）歌手だった。だが大規模な反政府デモの巻き起こった二〇一一年に「市民は選挙権を剥奪されているも同然だ」と批判したのをきっかけに、翌年にはプッシー・ライオット[*14]を擁護する署名をする。その後もロシアによるクリミア併合に反対し、ウクライナとの紛争に反対する平和行進にも参加、二〇二〇年にはベラルーシの民主化を支持する書簡に署名している。また彼は、以前の自分がとっていた立場を「ナイーヴだった」と批判もしている。『空虚な約束を』に表れていた、どこか遠くから世界を見ているような歌詞にある希望が、現政権の元では潰されるしかないと悟った――と考えることもできるかもしれない。この曲を聴いて微笑んだインガはとうにわかっていたのだろう――「この世界の光は闇より少しだけ多い」という言葉が空虚な約束や気休めではなくなるためには、「原因」を問い続けることが必要なのだと。

＊13―一九五三〜。モスクワ生まれの歌手。一九七〇年代から活動を続けている。
＊14―モスクワの街なかで即興のパフォーマンスや歌を披露し社会批判をする女性団体。二〇一二年の大統領選の不正に抗議する目的でハリストス大聖堂で「パンクの聖母さま、プーチンを追い出してください」と祈り歌うパフォーマンスをしたことで逮捕された。

8　サーカスの少年は星を摑みたい

幾度も自問した　僕はなんのために生まれたのか
——『星』ヴィタス

地下鉄から徒歩二〇分ほどのところにある文学大学の寮は、内部が二つの区画に分かれていた。正面玄関から入れる学生寮が建物の大半を占めていたが、裏へ回った入口から入る区画は一般の人も泊まれる宿泊所になっている。本来は私も学生寮に入るはずだったが、手違いか、たまたま寮が満員だったのか、最初に入れられたのは宿泊所のほうだった。宿泊所といってもホテルのような気の利いたところではない。二〜三人の相部屋には机とベッドがあるだけで蛇口すらなく、キッチンとシャワーとトイレは階にひとつ、電話は全館にひとつという（つまりは学生寮のほうとほとんどまったく同じ作りの）施設で、一般の利用客はあまりいなかったが、ツヴェトノイ並木路にあるロシア屈指のサーカス団がその宿泊所と契約をしていたから、宿泊所の雰囲気はサーカスのテント裏のようだった。とはいえ住んでいるのは主に若者や子供たちばかりで、まだあどけない一〇歳くらいの女の子たちがよく廊下でフラフープやバトンを持って練習の続きをしている。ほかの団員も若い子が多く、キッチンも共有なので何人かとはすぐに親しくなった。それで知ったところによると、彼らの多くは巡演中のサーカス団員の子供たちで、一人前の団員を目指して日々練習を積んでいるらしかった。

そのなかに、道化師のサーシャとアクロバットのデニスという二人の青年がいた。がっしりとした体格のサーシャは私より少し年上で、羊のような巻毛のデニスは少し年下らしい。高校を出たばかりだというデニスは「ユリって名前はロシアでは男の子の名前だけど、僕の名前はイタリアでは〔末尾にeがつけば〕女の子の名前にもなるから、一緒だ」と言っては、きゃっきゃっとほんとうに女の子みたいに笑う。「なにがどう一緒なの」と返すと、「いっそとりかえっこしよう!」と話が飛躍する。

「どうやって?」

「僕が毎日『コンニチハ!』って挨拶するから、ユリはロシア語で『プリヴィエート!』って返せばいいんだよ」

そうして私たちはキッチンで顔を合わすたび、「とりかえっこ挨拶」をするようになった。サーカス業は親子代々で続けている人が多い。デニスはお父さんがサーカス界では有名なアクロバットの名人らしく、周囲に期待され、一目置かれているようだった。本人もお父さんの話をよくしていた。お父さんが日本からお土産で買ってきてくれたMDラジカセの話（MDはほとんどロシアには広まっておらず、珍しいものだった）。車で遠くの街へ連れていってくれたときの思い出。いまは海外で活動していてなかなか会えないというお父さんを恋しがるデニスは、実際の歳より幼く見えた。

サーシャのほうは生まれながらの道化師のように人を笑わせるのが板についた青年で、宿泊所にいてもいつも冗談や意表をつく行動や軽いトリックで周りを笑顔にしていた。同時に正義感が強く、ほかの子たちより年齢も体つきもひとまわり大きくて、親元を離れて暮らすサーカスの子供たちみんなから頼られるお兄さん的な存在でもあった。若干融通のきかないところもあって、いつも「ユリは本を読んでいてえらいね」と褒めてくれたのに、私がナボコフを読んでいるのを見つけると、「いい大人と幼い女の子なんて誰がなんと言おうとよくない、大人の男には大人の女じゃなきゃ！」と頑として言い張った（そのとき私が読んでいたのは『ロリータ』ではなく、『ルージン・ディフェンス』[*15]だったのだけれど）。

彼らのそういったまっすぐな感じが、私には風通しのいいものに思えた。文学大学の友人たちとの「人種」「思想」「宗教」の議論は楽しいながらもいささか疲れることもあり、宿泊所のサーカスの子たちの快活さがうらやましく思えたのだ。

彼らはまた、男の子も女の子も、子供のうちからとても体に気をつかっていた。キッチンではいつも、豆が体にいいとか、肉なら赤身率の高い部位はどこかといった会話をしていて、私が普通の三・六牛乳を使っていたら、デニスが「〇・三％っていうのを選んだほうがいいよ」と勧めてくれたこともあった。そうは言われても私には低脂肪乳はどうも味気なくておいしくない気がしてしまうのだが、目の前では成長期の子たちがそれを平然と飲んでいる。ある女の子が「和食って体にいいんでしょう、でもトーフ（という名の製品が当時スーパーなどでよく売られていた。大豆ペーストをガチガチに固めたものにコンソメやキノコの味がついていて、豆腐とは似ても似つかない）っていまいちおいしくないね」というので、「気にいるかどうかわからないけど、こんど日本からおいしい豆腐を持ってくるよ」と約束したこともある。

ところがそんなあるとき突然、サーシャが消えた。噂によると逮捕されたらしい。あの

＊15—どちらもウラジーミル・ナボコフ（一八九九〜一九七七）の長編小説。中年主人公の少女愛を描いた『ロリータ』（五五年発表）は「ロリータ・コンプレックス」の語源ともなった話題作だが、ナボコフ作品のなかでは異色。『ルージン・ディフェンス』（三〇年発表）は、チェスにとりつかれた主人公が時間も空間もチェスのように捉える独特の精神模様が描かれる。

サーシャがどうして、と思ったけれど、誰も理由を知らなかった。居住証明関連の問題か（モスクワは居住許可が厳しく、厳密に取り締まれば問題を抱えている人も多い）、あるいはまったく違う理由か、そもそもほんとうに逮捕されたのかさえわからなかったが、とにかくそれきりサーシャは戻らなかった。「サーシャの正義感が仇になったんじゃないか」と誰かが言ったとき、私にはどういうことなのかわからなかった。いまも具体的な理由は知らないいまだが、その言葉の裏にどんな現実が潜んでいるのかは、少しわかるようになった気がする。

サーシャと仲の良かったはずのデニスも、なにも知らなかった。ただ、「人が消えるのはたまにあることなんだ」と言った。そしてこのころから彼は不安を口にするようになった。ある日、デニスは「いまの自分が考えていることは、この歌詞と同じだ」と言って、一曲の歌を私に聞かせた。それは当時流行していたヴィタス[*16]という男性歌手の代表曲、『星』だった。「幾度も自問した、自分はなんのために生まれ、育ち、大人になったのか。〔…〕僕はもう少し待って、準備して出かけよう、夢や希望を追って。僕の星よ、待って、燃え尽きないでいて！」――将来の夢に対してひたむきに呼びかける、ひねりの少ないポップソング風の歌詞ではあるのだが、「目標は近く思えても星を掴むのは難しい」「何度自分の限界を超えればいいのか」「それでもあの星の光に誘われる」といった言葉の端々に、大きな夢を追うことの苦悩と恐怖が滲む。なによりその一度聴いたら忘れられない超高音域の声が、デニスの不安とともに胸に刺さった。
ふと、キッチンでもフラフープを手放さない少女たちや、毎日交わされる健康的な食事の話や、消えてしまったサーシャを思った――彼らもやはり、燃え尽きそうな星に不安を覚えながらも、手を伸ばしているのだろうと。

*16―一九八一～。ラトビア生まれの歌手。ヴィタスは芸名、本名はヴィターリー・グラチョフ。当時はまだデビューして数年だったが、その後ロシアだけでなくアメリカやヨーロッパなど多くの国で活躍。

9　見えるのに変えられない未来

ソ連のサーカス団員は――優れたエンターテイナーだが、ひどく無防備な存在なんだ。

――『レオナルドの筆跡』ヂーナ・ルービナ

デニスは見る間に変わっていった。夜、薄暗いキッチンで電気もつけずぼうっと座っているので、「どうしたの」と訊ねると、「どうしたように見える？」と答える。「なんかいつもと違う」と言うと、「そうなんだ、僕は変わってしまった」と、いくらか大袈裟に聞こえる答えが返ってきた。そのときはそれ以上聞き出せなかったが、翌日、「人に聞かれたくないから」と、使われていない非常階段でこっそりわけを話してくれた――「毎晩ビールを飲んでいるんだ」と深刻な顔をして言う。一瞬、（なんだそんなことか）と思ってしまった。食欲がなくて困っていて、食べられるようにと飲みはじめた。五〇〇ミリの瓶ビールを二本。普通の若者にとって致命的な量ではない。文学大学の学生たちは昼休みに公園でプラスチックボトルのワインを回し飲みしたり、ウォッカに安物のカクテルを混ぜた酒をあおったり（と、かなりめちゃくちゃなことを）しても、けろりとしている。サーカス団の人たちだって、休みの日にはよくお酒を飲んでいる。けれども牛乳の乳脂肪分さえ気にしてストイックに体づくりをしていたアクロバット団員の卵からしてみれば、食欲不振と毎晩のビールは絶望的なのだろう。なにより「こんなことになるなんて思いもしなかった」「自分は大丈夫だと思っていた」「まだ大丈夫かもしれない」「だめかもしれない」と揺れ動く苦しそうな表情をみれば、その苦悩がいかに深刻かが伝わってきた。私は、話してくれてありがとう、としか言えなかった。それから何度か、私たちはその非常階段で話をした。

デニスはもとからときどき奇妙なことを言う子だった。僕には未来が見える、少し先のことしかわからないけれどよく的中する、と言う。といってもいわゆる「超能力」のようなものとはちょっと違う。天気予報では晴れなのに夕方雨が降ると予告したり、身近な人に近いうちに起こる些細な幸運を予測したりといった類のことで、感覚が飛び抜けて鋭く、さまざまな変化に気づきやすければ可能なのかもしれないという気がした。「人生でいちばん大事なのは『予見』することだ」——というのがデニスの口癖だった。だが苦悩に陥った彼の「予見」は悲しいものだった——以前、ずっと年上の団員が事故を起こしたとき、その少し前にわかったのと似た感覚に、ここのところ悩まされている、しかもそれは自分自身にかかわるものだという。それはきっとただ一時的にいろいろ不安になっているだけなんじゃないか、と私が言っても気休めにさえならない様子で、「確かに不安は邪魔だけど、逆に希望も予見の邪魔になる」と、曇った表情のまま言った。

ロシアにおいてサーカスは特別な存在だ。日本でも、来日した「ボリショイサーカス」を観にいったことのある人も多いだろう（ちなみにわりと有名な話だが、「ボリショイ（=大きな）サーカス」というのはロシアのサーカス団が国外を巡演する際の呼称で、特定のサーカス団を指すものではない）。娯楽の少なかったソ連時代から公に認められていたサーカスは、ちょっとした非日常の祝祭的な存在として、ロシア本土でも広く愛されてきた。そうして社会に深く根ざしてきただけに、サーカスについて書かれた本も少なくないし、文学作品にもよく登場する。リュドミラ・ウリツカヤの『陽気なお葬式』のイリーナなど、さりげなく「元サーカス団員」が登場する小説も数多くある。

だがヂーナ・ルービナ[*17]の『レオナルドの筆跡』を読んだとき、私は衝撃を受けた。宿泊所で暮らしていたサーカス団員たちの雰囲気がありありと思い出されたのだ。

この作品は、孤児である主人公アンナの人生を、周囲の人々の語りを通して描く長編だ。タイトルは、アンナがレオナルド・ダ・ヴィンチと同じように左利きで鏡文字を書くことからとられていて、「鏡」や「反転」が全体のテーマにもなっている。語り手は、最初は育ての母、それから恋人となり夫となるサーカス団員、親友、愛人……と章ごとに移り変わり、それぞれの目からこの少女の人生が浮きあがる。アンナは、幼いころから「なんでも見抜く」超能力を持っていて、初対面の人の誕生日やその人の家族の名前、開封していない手紙の内容などをずばりと当ててしまう。アンナはやがてサーカスに魅せられ、アクロバットのバイク乗りになるが、その特殊能力は次第に周囲から疎まれるようになる。あるときアンナの親友だった女が「自宅で彼女を殺した」と自首するが肝心の遺体がなく当人の精神状態もおかしく、警察にとりあってもらえない。ところがその夜、アンナはバイクに乗ったまま、突然消えてしまう。目撃者の話では、空を飛んで消えたという。

……と、こんなふうに書くと空想的なファンタジー小説のように聞こえるかもしれないが、実際に読むとファンタジー的な要素は希薄で、サーカスという一種特別な世界をめぐる人間関係や葛藤がリアルに描かれる。

＊17——一九五三〜。イスラエル在住のユダヤ系ロシア語作家。ロシア語圏で最も読まれている人気作家のひとり。ヂーナという名はハリウッド女優のディアナ・ダービンにちなんでつけられた。七一年に雑誌『青春』でデビューして以来半世紀、ヒット作を書き続けている。

この本を読むと、長い廊下に沿って両側にちいさな部屋が並ぶ「宿泊所形式の寮」も、本番前の特殊な緊張状態を表す「マンドラーシ」という言葉も、物に対する無頓着さや、足や指先にまで頭脳があるかのような身のこなしも——すべてが私の見た通りで、懐かしく思う。けれども読んでいていちばん身につまされるのは、ソ連崩壊後のロシアのサーカスが陥った経済的・社会的危機と、サーカスにいる限りついてまわる身体と精神の危険に直面した登場人物らの苦悩と虚無感だった。多くのサーカスで経営が行き詰まり、優れた団員はみな国外での活躍に期待をかけていること。作中で、語り手と飲食店で話をしている元サーカス団員が食事をとらずにビールだけを注文し、「いえ、私は食欲不振に悩んではいませんよ」と語るものの、次第に強い酒を頼んでいく場面からも、過度な食事制限が常に摂食障害やそれによる飲酒依存の危険と隣り合わせであったことを思い出す。

ツヴェトノイ並木路のサーカス経営者マクシム・ニクーリン[*18]は、二〇〇八年のインタビューでこんなことを語っていた——「経営者として最も大事なのはサーカスの特殊性を理解することです。サーカスというのは一生かけて学び続けなければならない複雑な世界です。人間関係も少し特殊です。常に誰かの命を、文字通り手のなかや肩の上やポールの先に預かっていなければなりません。団員の子供は普通の幼年時代を過ごせないという批判があります。確かにそうかもしれません。しかし人間には、ないものの代わりに別の能力を育む力があります。目の不自由な人が聴覚を発達させ、足のない人が体幹の筋肉を鍛えるように、サーカス団員は仲間意識を鍛えます。そのすべてが、サーカス芸術の一部なのです」と……。

あるとき大学で仲良くなった友人と一緒に住むために、私は大学寮の区画に移った。そしてその後、サーカスの団員やその卵たちと顔を合わせることはなくなった。けれどいまでもサーカスと聞くと、その舞台裏とともに暮らしたあの時期に感じた奇妙に鋭敏な感覚がよみがえる。華やかさの裏にある危険、なかなか親にも会えない子供たち。ルービナの小説にあった「ひどく無防備な存在」という言葉が重なる。サーカスがさらされてきたいくつもの社会的問題に起因する彼らの「無防備さ」を思い、そんななかで限界を求めるからこそ研ぎ澄まされ、不思議な能力にまで高められる感覚を思う。やりきれない。

＊18――一九五六〜。ソ連の喜劇俳優でありツヴェトノイ並木路のサーカスを代表する道化師だったユーリー・ニクーリン（一九二一〜九七）の息子で、父の跡を継ぎ経営者になった。

10 法秩序を担えば法は犯せる

海からも警官が見え
空からも警官が見え……
──『警官礼賛』ドミートリー・プリゴフ

サーカス団と一緒に住んでいた「宿泊所」には、普段は一般の客がほとんどいなかったが、あるとき学校から帰ると珍しく利用客の帰ったあとらしく、掃除のおばさんたちが斜め向かいの部屋の片付けをしていた。だが様子がおかしい。口々に「ああ恐ろしい、恐ろしい」と言うので、なにがあったのか話を聞くと(ちいさな宿泊所で、掃除のおばさんたちも数人しかいなかったので、このころには私はだいたいの人の名前を覚えて親しくなっていた)、まず警官がひとり一階の受付に来て、宿泊ではなく部屋の一時利用をしたいといって料金を払い、部屋のある二階へあがった。しばらくして、その部屋から一人の警官が制服を整えながら出てきた。二階の清掃係が一人客かと思い「お帰りですか?」と訊くと「まだ中に人がいる」という。しばらくしてもう一人出てきたのでまた声をかけると、まだいるという。次の警官に訊いても、まだいるという。少しずつ時間をおいてひとりずつ出てきた警官は、ぜんぶで五人。五人目も「まだいる」というのでしばらく待っていると、泣きはらした娼婦風の若い女がひとり出てきた。それで、掃除のおばさんたちは「五人の相手をさせられるなんて……ああ恐ろしい」と涙目で語り合っていたのである。

こんな話からはじめても、にわかには信じ難いかもしれない。警官が五人も集まって、昼間から制服姿で堂々と（そもそもロシアでは買春自体が違法だが、それ以前の問題としておぞましい）罪を犯すなどという話は。しかしロシアへ渡る際、留学情報を書いた冊子などに必ず書いてあったのは、「最も警戒すべきは警官」ということだった。

外国人にとっていちばん身近な被害は、「警官に金をせびられる」現象で、街角で旅行客や留学生とみられる外国人に声をかけてパスポートの提示を求めては、ビザがおかしいとか滞在登録がどうとか、言いがかりをつけて日本円にして数千円ほどの金を要求する。言われるがままに信じて罰金を払ってしまう人もいれば、言いがかりとわかってはいても、断ってどこかに連れ去られでもしようものならたまったものではないから払う人もいて、いずれにせよ多くの人は身の安全のためとそのくらいは出してしまう。私は運良く一度も被害に遭わなかったが、この手の話は山のように聞いた。寮のすぐ前にある売店にパンを買いにいこうと財布だけ持って出た瞬間に待ち伏せしていた警官につかまり、「パスポートなら目の前のこの建物のなかにあるからとりに戻らせてほしい」という要求さえ聞いてもらえず「パスポート不携帯」の罪で罰金をとられた留学生もいた。こういった現象は二〇一〇年代にはあまり起こらなくなっていたが、最近になってまた同じような話を聞くこともある。[*19]

だが警察を恐れているのは外国人だけではないし、いまにはじまったことでもない。先に書いた「五人の警官」のような話はロシア人同士のあいだでよく耳にする。ソ連時代から つい一〇年ほど前まで「ミリツィヤ」と呼ばれていたロシアの警察は、むろん公に揶揄したり批判したりできる存在ではなかったが、サミズダートと呼ばれる地下出版（サム＝「自分で」と、イズダート＝「出版」をかけあわせた造語で、禁書や出版できない作品などをタイプライターで複製して回し読みする文化のこと）の世界では、好んで風刺の対象となっていた。なかでも有名なのはドミートリー・プリゴフ[*20]による、その名も『警官礼賛』という連詩である——

ここで警備にあたる警官には
遥かヴヌコヴォ空港まで視野がひらける
西を東を　警官は見る〔…〕

そして警官はいたるところから見える
東からも警官が見え
南からも警官が見え
海からも警官が見え
空からも警官が見え
地中からも……
警官は隠れようとはしないのだ

という詩で幕をあけるこの連詩は、いたるところにはびこる警官を、頌歌のように皮肉に崇めたてながら、ソ連社会の警官たちを描いていく。作家協会にやってきて作家に目もくれずにビールを飲む警官、殺人を犯しても正当化される警官、街角に立っているだけな

＊19——二〇二一年現在も、在ロシア日本大使館の公式サイトには「当地警察官による金銭等の要求行為被害が複数件報告されて」いるとの注意喚起がなされている。
＊20——一九四〇～二〇〇七。モスクワ生まれの詩人。ソ連時代は非公式で活動。ペレストロイカ以降は詩集を刊行するほか、来日したのちに随筆『私だけの日本』を著した。

のに人々の手本と褒めそやされる警官……。

中央集権の強権国家における警官の権力の肥大とその濫用という現象は、ソ連崩壊後も続く。二〇一一年に政府は警察の組織名を「ミリツィヤ」という言葉に染みついた悪いイメージから逃れるように「ポリツィヤ」に改名したが、もちろん名前と同時に組織の本質が変わるわけではない。サーシャ・フィリペンコの『赤い十字』[*21]には、こんなエピソードがある。

主人公はサッカーの審判で、ある日、神学校の学生チーム対警察官チームの親善試合の審判を引き受ける。だが警察チームは序盤からファウルを繰り返す――「法秩序の担い手である警察は、この国のしきたり通り自分たちは裁かれないという感覚に従って、ひっきりなしに荒っぽいプレーをし、肘打ちを繰り返した」。

法秩序の担い手であるからこそ、法を守るのではなく「自分たちは裁かれないという感覚」に従って不法行為に出る――外国人のパスポートに文句をつけて小銭を稼ぐ小遣い稼ぎのような事件から、深い闇を垣間見るような事件まで、警官によるさまざまな犯罪の裏に存在する、悲しい事実である。

*21——二〇一七年発表。第二次世界大戦期のソ連と赤十字国際委員会の知られざる交信記録を描いた長編小説（邦訳は集英社より刊行予定）。小説の舞台はロシアとベラルーシにまたがるが、このシーンは二〇〇〇年ごろのロシア（エカテリンブルグ）。

11　六七歩の縮めかた

さして遠くはなかった。彼は自分の家からそこまで何歩であるかも知っていた。

——『罪と罰』フョードル・ドストエフスキー

文学大学では翻訳科に入ったが、むろん日本語などという言語は存在しないので、フランス語からロシア語への翻訳家を目指すクラスに入った。入試にフランス語があったわけではなくほとんどみんな一からのスタートだが、なかにはもともとやっていた子もいて、レベルはまちまちだった。フランス語をロシア語にする作業は新鮮で楽しかった。

この大学には数ヶ月や一年の短期留学で来る外国人はたまにいたが、その年に正規の学生として入学した(旧ソ連圏以外の)外国人は私一人だったので、ずいぶん珍しがられた。「日本なんてエジプトと同じくらい遠くて縁がないと思ってたのに、日本から来た人に会えるなんて、モスクワってすごいのね!」と話しかけてきたのは同じフランス語クラスのマーシャだった。日本人と知り合えたことが一足飛びに「モスクワってすごい」となった理由は、マーシャがとてつもなく雄大な故郷から出てきたばかりだったからだ。

マーシャの故郷は、ペテルブルグの南方にある古都ノヴゴロド……がいちばん近い都市だが、そこからだいぶ離れたところにあるちいさな村で、付近には商店のひとつもなく、一週間に一度、物売りが車で食料や日用品を売りにくる。そんなだから物資の不足に困ることは日常茶飯事で、食べ物もお金もないときにはお父さんが獲ってきた野生のウサギを焼いて食べてしのいでいたという。ちなみにお父さんは狩人ではない。中学校の英語の教師である。マーシャが差し出した故郷の写真を見ると、当時よりも少しだけ幼い印象の彼女が愛犬とともに微笑み、その背景には丸太作りのような家と、地平線まで続く草原がたなびいていた。

私にとってはモスクワよりもマーシャの故郷の話のほうによほど興味があった。現代の首都というのはある意味似たり寄ったりで、すっかり商業化した二〇〇〇年代のモスクワは東京と大差なく感じられ、チェーン店のスーパーもカフェも（いまほどたくさんではないが）あり、生活に不自由はしないが、街としてはペテルブルグのほうが好きだったこともあって、当時の自分はとりたててモスクワに興味を持てずにいた。

翻訳家になりたいという思いで倍率の高い文学大学を目指し、故郷での一年間の浪人ののちに入学したマーシャはとにかく勉強熱心で、学年でトップクラスに成績がよかった。

いた。

しかし人に話を合わせたり流行についていったりするのが苦手で、周りからは少し浮いていた。

そのころ私はまだサーカス団と同じ宿泊所に住んでいたが、マーシャは学生寮に住んでいた。学校からの帰り道は一緒だが、到着すれば「またね」と言い合って、別々の入口から別々の区画へ入る。

ある日曜日の朝、突然誰かが私の部屋のドアをノックした。寝ぼけた頭でドアを開けると、なにやら料理の入ったお皿を持ったマーシャが、満面の笑みで立っている。「えっ」と、私は驚いた。同じ建物とはいえ、学生寮の区画と宿泊所の区画をつなぐ内部のドアには厳重に鍵がかけられており（防火扉までついている）、こちらに移動するのは不可能だ。どうやらマーシャはお皿を持ったままいったん外へ出て建物の外をぐるりとまわり、宿泊所の入口で事情を話して二階へ通してもらったらしい。

「朝起きてひらめいたの。日本ってお米をよく食べるんでしょ？ そういえば私の得意な米料理があるからぜひユリに食べてもらわなきゃって思いついたら、いてもたってもいられなくて、作ってきたんだ。食べて！」

差し出されたそれは、サラダだった。ロシアでは米は主に付け合わせやサラダに用いられるほか、惣菜パンの具材にもなる。パンに米が入っているのは奇妙に思えるかもしれないが、日本のじゃがいものような扱いだと思えば納得がいく。マーシャの得意な米料理は、米をたっぷりのお湯で茹で（炊くのではなく茹でてサラサラにする）、そこに輪切りのきゅうりを加えてマヨネーズで和えたもので、当然、日本で「よく食べる」米とはかけ離れていたが、おいしかった。なにより誰かが朝から手料理を作って持ってきてくれたことが、とてつもなく嬉しかった。

そのころから私とマーシャは急激に仲良くなった。私たちをつないでいたのは、とにかく「学びたい」という気持ちだった。入試倍率八倍ほどの難関校とはいえ、「作家になる」という夢を持つ者が集まるこの大学に来る学生は必ずしも向学心があるとは限らず、入ってしまえば「小説のネタ集め」のために遊び歩いたり、授業をさぼって文学カフェ[22]に通い詰める学生も多い（だから二年に進学できる者は半数ほどだった）。もちろんそれは各自の生きかたであり自由なのだが、学生同士は寮でも学校でも年がら年中一緒にいるわけで、しっかりした意志をもっていないと流される危険も高く、とりわけ一年次はいかに課題図書を

＊22――若手の詩人や作家が集い朗読会などのイベントがおこなわれるカフェ。自由な雰囲気で文学や社会について語れる場として人気だったが、二〇〇六年ごろから閉鎖に追い込まれる店も多くなった。

読みこなし学習の習慣をつけるかが問われる。当時のマーシャのルームメイト、レーナはとてもいい子だったが、始終恋人に金を騙しとられたり浮気をされたりといったトラブルでそのたびに大騒ぎをしていて、落ち着いた環境とはいえなかった。私とマーシャはどちらからともなく、一緒に住めたらいいのにね、と話すようになった。

私は、宿泊所の環境に大きな不満はなかった。勉強の時間もとれるし、比較的明るい角部屋だ。けれども「五人の警察官」の一件などやはり学生寮のほうがいいのではないかと思わせる事件もあったし、なにより同じように文学が大好きなマーシャとは話も合う。二人で住めば文学の話もフランス語もいくらでも一緒にできると思うと、寮に移りたくなった。

私たちは寮の区画に移住させてもらえるよう、大学にかけあうことにした。ところがそうした手続きというのは、ただ面倒だという理由で後回しにされるのが常だ。さまざまな担当者をたらい回しにされ、あきらめかけたこともあった。いつもの帰り道、「同じ建物の別の入口がこんなに遠いなんてね」と弱音を吐くと、マーシャに「ちょっと来なさい！」と腕をひっぱられ、宿泊所の入口に連れていかれた。そして「遠くなんかないんだから。いい、数えるわよ？」と言って、ちいさな体でぴょんぴょんと跳びはねるように大股で歩数を数えはじめた。「一歩っ、二歩っ、三歩っ……」「三一、三二、三三……」「六四、

六五、六六！」と、やっと寮の入口についたところで、マーシャはさっと青ざめて私を見た。そしてとっさにもう一歩、無理やり小股に足を踏み出して「六七！」と数えてから、「ほら、私たちの距離なんてたったのこれだけ、六七歩！　だからあきらめちゃだめ！」と言って胸を反らせた。

西欧圏では黙示録の記述から六六六という数字を忌み数とする風習があり、そうでなくとも数字の揃ったゾロ目は好まれないことが多い。六六という数字自体になにか特別な意味があるわけではないが、やはり六六六を想起させる。加えてただでさえ「歩数を数える」文学というと、ドストエフスキーの『罪と罰』の序盤で主人公のラスコーリニコフが殺すつもりの金貸しの老婆の家までの歩数を数える場面が浮かぶ。「夢」の実現を算段するために数えるという点も同じだ。ラスコーリニコフの数えた歩数は七三〇歩と私たちの距離よりはだいぶ遠いが、数としては六六のほうがよほど縁起が悪い。せっかく私を励まそうとしてなるべく数が少なくなるように大股歩きで数えてくれたのに、結果として出た六の並びが不吉すぎて殺人の文脈が想起され、マーシャは青ざめたのだった。その真面目な反応がかわいくて嬉しくて、それをごまかそうとした最後のちいさな一歩がとても愛しく思えた。

そうして何度目かの挑戦で、ようやく私は学生寮への移住が認められた。しかし案内された部屋に足を踏み入れた途端、私とマーシャは絶句した。上級生が出ていったきり放置されていたらしく散らかり放題で、壁紙もカーテンも破れたままだし、ベッドは「兵士式」と呼ばれる低く粗悪な簡易ベッドしかない。なにより目立つのが、壁いっぱいに大きくペンキで書かれた「ボヘミアン」という落書きである。この部屋はあまりに荒廃しているので空いたまま残っていたのだろう。私たちはしばし唖然としていたが、不意に可笑しくなった。そして「ひどい部屋！」「カーテンってどうしたらこんなに破れるの？」「がんばってきれいにしなきゃ」「こんなに大きくボヘミアンって！」と部屋のあちこちを指して笑った。

マーシャとの生活がはじまり、私たちの「距離」はほんの二、三歩になった。その後の数年のあいだに私たちは何度もあの「六七歩」を思い出し、がんばって縮めてよかったね、と言い合った。いまだに、ラスコーリニコフが歩数を数えている場面を読むと、「いつだったか、あまりに空想に夢中になったときに測ったのだ。当時の彼は自分でもその夢が信じられず……」のくだりに、マーシャの「六七歩！」が重なり、つい微笑んでしまう。

12 巨匠と……

ねえおまえ、そろそろ私も、泣いたっていいだろう……
――『おまえは寝ながら泣きじゃくった』ユーリー・カザコフ

私が入った大学は、正式名称をロシア国立ゴーリキー文学大学といい、学生数は全学年合わせても約二五〇名と小規模だが、ロシアでは知らない人のいない特殊な大学だった。帝政ロシアの時代から、作家や詩人というのは人々の思想の源であり、社会思想を形成する核を担ってきた。アレクサンドル・プーシキン、ニコライ・ゴーゴリ、レフ・トルストイ、フョードル・ドストエフスキー、アレクサンドル・ゲルツェン、ヴィッサリオン・ベリンスキーといった（挙げればきりがない）詩人、作家、批評家らの作品や社会的発言なしにして、一九世紀ロシアの社会思想は語りえない。もちろんここに挙げた人々がみんな社会思想を形成することを目的として作品を生み出していたということではなく、人々がそれらの作品を読み、社会を考え直す動きが思想の、そして社会の変動につながったという意味でだ。だからこそロシア革命後、ソ連政府は作家を人々の思想の根本をつくりあげる職業として重視し、人々の心を正しく導ける作家を育てなければならないという課題に国をあげて取り組んだ。そうして一九二〇年代にワレーリー・ブリューソフ[*23]が築いた文学芸術大学を母体として一九三三年に創設されたのが、ゴーリキー文学大学である。校舎にはモスクワの中心部、赤の広場からも歩いていける距離にあるプーシキン駅の近くにあるゲルツェンの生家が選ばれた。古い貴族の屋敷を校舎として利用したのだ。

作家を養成する学校というと、一般的には「文学作品の書きかた」を教えてくれる場所というイメージがあり、同時に「そんなことは教わって身につくものではない」といった批判がついてまわる。実際、この学校を卒業することは、ソ連時代であれば資格を得て作家協会に入り、作家としてスタートするための礎になっていたが、ソ連崩壊と同時に文学の世界も市場化され、文学大学卒業は資格としてはあまり意味がなくなった。同時に、この大学を出た作家が与えられてきた特権に対する反発や、ソ連の御用作家を輩出した大学というイメージもあいまって、文学大学を批判する声は絶えずあった。

確かに、文学大学は大きく分けて創作（作家・詩人）科、批評科、翻訳科の三つに分かれている。しかしたとえ「創作科」であっても、授業の中心は「小説の書きかた」ではない。卒業資格にしても、「作家」とか「詩人」といった資格が得られるわけではなく、「文学従事者」というユニークな資格である。ソ連時代から続くこの資格は、噛み砕いていうなら「文学を専門とする労働者」という意味で、つまりは労働者と農民の国家において文学分野の労働を担う者ということだ。ソ連が崩壊しすっかり資本主義化したロシアでは可笑しくも奇妙な真面目さをもって響くこの「文学従事者」だが、ではこの労働者はいかにして育てられるのか。大学の全体の八割ほどの授業（火曜日以外の平日）は全科共通で、通常の大学と同じような講義とゼミからなっている。ただし専門と関係のない一般教養はほとんどなく、文学史、歴史、哲学、語学の授業のほか、文学研究、文芸批評史、翻訳史、翻訳理論、著作権について学ぶ授業など、とにかく「本」にまつわる授業ばかりが膨大にある。語学は一年次にラテン語基礎と教会スラヴ語基礎が必修で、全学年を通じて国語（ロシア語）文法があり、翻訳科なら第一外国語がある。最も多い講義は文学史で、口承文芸、古代ルーシの文学からはじまり、一八世紀前半、後半、一八〇〇年から一八二五年まで、一八二五年から一八五〇年まで、と細かく分けて時代順に学ぶ。火曜日だけが科別の「創

＊23――一八七三〜一九二四。ロシアに象徴主義を根づかせた理論派詩人。革命後はソ連の文学教育のために尽力した。

作指導」で、それぞれグループごとに「巨匠」のクラスで学ぶ。創作科なら作家、翻訳科なら翻訳者に師事し、その師をミハイル・ブルガーコフの『巨匠とマルガリータ』よろしく「巨匠（マスチェル）」と呼ぶのがこの大学特有のならわしだった。

私たちの「巨匠」はフランス文学翻訳家のアレクサンドル・レーヴィチという先生で、いかにも巨匠の名にふさわしく、ボードレールやヴェルレーヌの名訳で知られるほか、フランス語だけでなくタガログ語、アブハズ語、ラトビア語、ポーランド語、セルビア・クロアチア語に通じた仙人のような人で、自ら詩や散文も書いていた。一九二一年生まれの巨匠は当時すでに老齢で体が悪かったので、みんなで地下鉄に乗り先生の家へ通ってゼミを受けた。家に着くといつも妻のマリヤさんがにこやかに天気の話などをしながら紅茶を淹れてくれる。そうしてキッチンでひと息ついてから、天井まであらゆる全集や辞書がびっしりと詰め込まれた夢のような書棚が並ぶ廊下を通り抜け、その先にある日当りのいい小ぢんまりとした書斎で、みんなで持ち寄った翻訳を読み合い、評価し合う。

初めて会ったとき、巨匠は私の名前を聞くとやけに驚いた。ユリという名前はロシア語では男性名のユーリーとほぼ同じ音になるので驚かれるのには慣れていたが、この巨匠の驚きようはちょっと普通ではなかった。それは、巨匠が大好きだったかつての友人——作家のユーリー・カザコフと同じ名前だからだった。

ユーリー・カザコフは抒情的な短編やロシアの北方を描いた随筆を得意とした作家で、文学大学の出身である。日本でもソ連時代から翻訳が出ているが、とりわけ優れた短編のひとつに『おまえは寝ながら泣きじゃくった』という作品がある。一歳半の息子へ語りかける一人称の物語だ。寝ながら泣く赤ん坊に、「いったいなにがおまえをそう悲しませるんだ?」と問いかけながら、語り手は自伝的叙述を連ね、逮捕された父親との別れ、隣人の自殺、これから自我の芽生えるはずの幼い息子に託す思いを溢れんばかりの抒情と巧妙なリズムで描きあげる。当時のソ連文学にしてはかなり際どいテーマに触れたこの作品を最後に、以降カザコフは作家生活から意図的に離れてしまう。

カザコフは一九二七年生まれで巨匠よりも若かったが、一九八二年の一一月二九日に五五歳の若さで亡くなってしまった。私が偶然にもその命日のちょうど七日後、同年の一二月六日生まれだと言うと巨匠はさらに驚き喜び、まるで旧友の生まれ変わりを見るように私をまじまじと見た。そんなふうに見つめられるとなんだか私まで自分がカザコフの生まれ変わりに思えてくるほどだったが、(いやそんなばかな)と心のなかで打ち消すと、恐縮して申しわけない気持ちになった。そんな私の気持ちをよそに、巨匠は何度もしみじみと「あなたがユリという名前でよかった」と繰り返すので、私はますますわけがわからなくなった。

だが翌週の火曜日、巨匠の驚きは別の形になって私たちの前に現れ、こんどは私たちが驚かされることになる。ゼミの最後に、「書いたばかりの短編があるから読んで聞かせよう」というのだ。巨匠は机のひきだしから原稿を取り出すと、背筋を伸ばし、いつもよりぐんと力強い、生き生きとした声で語りはじめた——

それは若いころの巨匠を主人公として、カザコフの家に行こうとして道に迷い、道中おかしなトラブルや奇妙な人にさんざん振り回され、結局は辿り着けなかったという内容の話だった。コミカルな語りのなかにどこか物悲しさがあり、泣きたくなるような懐旧の情に貫かれた小編が、書いたばかりの作者の口から語られる様子に、私たちは息をのんで聞き入った。

話し終えると巨匠はほうっとため息をつき、また「あなたがユリという名前でよかった……」と言って微笑んだ。

私たちは巨匠の最後の教え子だった。次第に体が悪くなっているのは私たちにもわかっていた。全身が痩せて骨ばかりになっても目はいつまでも知的に輝き続け、精神だけで生きているようなその姿には、神々しいといっても大袈裟ではないような貫禄があった。文学大学を卒業して四年後、二〇一二年の一〇月に、マーシャからのメールで巨匠が亡くなったことを知った。九〇歳だった。その二年後、妻のマリヤさんも息をひきとった。

訃報を聞いたとき、巨匠のあの力強い朗読がありありとよみがえった。あのとき、私の名前というかすかな手がかりから思い出を探り、目の前で鮮やかに生み出された作品は、巨匠がそれまでカザコフのような友人と創作を分かち合い、世界中の文学とともに生きてきた証だったのだろう。そうして巨匠は、こんどは道に迷うこともなく、大好きな友人カザコフのところに辿り着いたに違いない。

13 マルガリータ

君が魔女なら、魔女でもいい。とてもきれいだ、すばらしい！
――『巨匠とマルガリータ』ミハイル・ブルガーコフ

週に四コマあるフランス語はマルガリータ・コロリョワ先生が教えていた。ロシア人ではあるはずなのだが、私たちにはフランス人にしか見えなかった。ロシアのフランス語教育は帝政時代からの伝統もあり、フランス文化の浸透は古い。マルガリータ先生は自らの生い立ちについて詳しく語るタイプの先生ではなかったが、子供のころからフランス語圏の文化に囲まれて育ったらしく、そこにいるだけでフランス文化をかもしだすような華があった。

それにしても、翻訳のゼミが巨匠でフランス語がマルガリータだなんて、ますますブルガーコフじみている。三流詩人や編集者の卵もたくさんいるし、これで悪魔と黒猫がいれば登場人物は完璧に揃う――と一年生のころの私たちはよく囁き合って笑った。まず、マルガリータ先生の姓名が嘘みたいにできすぎている。名前もさることながら、苗字のコロリョワはロシア語で「女王」を意味する言葉に由来しているが、『巨匠とマルガリータ』で悪魔たちがマルガリータに向かって呼びかける呼称がまさにこの「女王様」なのだ。さらにさらに、そもそも『巨匠とマルガリータ』の舞台のひとつである「グリボエードフの家」は、文学大学がモデルになっている。実際には「ゲルツェンの家」なので作家名を変えてはあるが、モスクワの中心部をぐるりと環状に囲む並木路沿いにあるクリーム色の古風な二階建ての建物という描写も、中庭に立つ銅像も、貴族の屋敷の造りのままの内部構造も文学大学のもので、大学は改修を繰り返しながら現代にいたるまでこの建物をそのまま使っている。文化財としては貴重だが、授業に適しているかといえば微妙な点も多い。ある小教室など廊下からの入口が一切なく、別の大教室の真ん中をつっきらないと辿り着けない。貴族の屋敷だったころ、手前の大教室はおそらく客間で、奥の小教室は休憩室かなにかだったのだろう。哲学の教授が、大教室での講義がはじまって板書をしているのにいつまでもぱらぱらと奥の小教室を目指して大教室を横切る学生がいるので、何人目かが入ってきた瞬間に我慢の限界に達し「いい加減にしてくれ!」と叫んで振り返ったら、そこにいたのは奥の教室で講義をする文学の先生で、両先生とも気まずそうにへらっと作り笑いをしてごまかしていたこともあった。

講義のない空き時間にはクラスの友達とよく散歩をした。『巨匠とマルガリータ』の冒頭で描かれるパトリアルシエ池は歩いて数分のところにあり、昼食後の授業がない曜日には昼休みから出かけていって池のほとりのベンチに座り、近くの屋台で買ったじゃがいもの丸焼きをつつく。池のそばには、ぱっと見は交通標識にも見える看板がたっている。しかしよく見ると、細い男と杖をついた男とばかでかい猫の黒いシルエットの上に赤で禁止マークが描かれ、その下に「知らない人たちと話をしてはいけません」と書いてある。この場所で「知らない人たち（悪魔ヴォランド一行）」と話をしたことで『巨匠とマルガリータ』のストーリーが幕を開けることをふまえたユーモア看板である。

発表のあてのないまま書かれ、ソ連時代は長らく禁書とされていた『巨匠とマルガリータ』は、主に地下出版で読み継がれ、ペレストロイカとともに一挙に大ブームになった作品である。パトリアルシエ池だけではなく、モスクワ市内のいくつものゆかりの地に、ファンを喜ばせるモニュメントや銅像がある。岩波文庫から出ている水野忠夫訳の表紙は上下巻ともにブルガーコフが住んでいたアパートの壁にある落書きの写真だ。上巻には黒い化け猫ベゲモートが、下巻には悪魔ヴォランドの絵が描かれており、その周りを埋め尽くすように熱烈なファンによるメッセージや作品からの引用文が書かれている。「ベゲモート、信じてるよ、君は存在するって」とか、「ヴォランド！ ここへ来て！ あまりにもたくさんの愚行が横行してるんだ……」とか。作品に描かれたテーマがいまでもリアルに人々の心を摑んでいるのだ。

執筆当時から変わらない街並みや文学大学の建物のなかで生活し、「巨匠」や「マルガリータ」に師事し、毎日文学漬けになっていると、ひょっとしたら私たちはほんとうに本のなかに迷い込んでしまったのではないかという気にもなった。いつかマルガリータ先生は箒にまたがって空を飛び、悪魔の大舞踏会に連れていってくれるかもしれない。

実際、マルガリータ先生にはそう思わせるような魅惑があった。「ボンジュール！」と元気よく教室に入ってきた瞬間に、あからさまな「フランス感」のようなものを連れてくる。ふわりとした肩までの髪は空気のように軽やかで、明るい花柄のシャツがよく似合う。どれほど一緒にいても、モスクワで生活している人に共通するどこか重苦しい空気のようなものがさっぱり感じられない。手紙の書きかたを教わったとき、「じゃあ、実際にフランス語で手紙を書いて、私宛に郵便で出すこと！」という宿題を出され、教えてもらった住所がモスクワだったとき、私たちは思わず顔を見合わせた。どうしても、毎朝プロヴァンスあたりから出勤してきているような気がしてしまうのだ。先生はすぐにその空気を読みとり、「あら、私はモスクワに住んでるのよ、おかしい?」と、私たちがいくらがんばっても出せない鼻母音を響かせて、フランス語でおどけた。先生は毎回山のような単語暗記を宿題にするのだが、それと同時にいつも手品のような小ネタを用意し、くじ引き大会やフランス語の歌や言葉遊びでクラスを盛りあげるので、授業には悪魔の大舞踏会……ならぬ、祝祭的な楽しさがあった。綺麗にルージュをひいた大きくて魅力的な口にはいつも微笑みが宿っていて、それもまた先生のロシア人らしからぬ雰囲気を強めていた。「文化って、人をあんなに彩るものなんだね」と、私とマーシャはよく話した。「いつか語学教師になるとしたら、こんな先生になりたい」――私たちだけでなく、クラスのみんながそう憧れるようになるまでに時間はかからなかった。

しかし一～二年生のころは楽しかったフランス語だが、上学年になると私は次第に落ちこぼれていった。ロシア文学や文体論や哲学の授業のほうが面白くて、そっちにのめりこんでいったのだ。みんながフランス語を本気でやっているのに対し、私はロシア文学が本来の目的だったのだから当然といえば当然なのだが、マルガリータ先生を思うといつも申しわけない気持ちでいっぱいになった。卒業してからもずっとその思いを引きずっていて、思い出したようにフランス語の教材を買っては勉強し直したりしていた。

卒業から五年ほど経ったころにモスクワに行った際、マーシャがマルガリータ先生に会うというのでついていったことがある。そのときもまだ私は自分がだんだん落ちこぼれたことを気に病み、後ろめたくてたまらず、私なんかが会ってもいいのだろうかとさえ思った。ところがマルガリータ先生は喜んで私を迎え、あれやこれやと近況を訊いてくる。その昔と変わらない爽やかな笑顔につられるようにして、私がぼそぼそと「ロシア文学の翻訳をしている」「シーシキンの小説を訳した」と告げると、授業のときのようにロシア語とフランス語で「おめでとう！」「フェリスィタスィョン！」とお祝いしてくれた。

すとん、と拍子抜けしたような、赦されたような気がした。考えてみればあたりまえなのだが、先生は私の本来の目的も、フランス語の授業がきっと私にとって無駄ではなかったことも、わかっていたのだ。

自分が教壇に立つようになってようやく、あの「後ろめたさ」がなんだったのか実感としてわかるようになった。学年末などに、たまに学生さんから「たいへん楽しくて充実した授業だったのに、ちゃんとついていけなくて申しわけありません」とお手紙をもらうことがある。ああ、わかる。その「申しわけなさ」はよくわかるけど、大丈夫。それは授業からなにかを得てくれた印のような、だからこそ生まれる未練のようなものだから。すぐに結果になっていなくたって、未練があるならいつでも、学び直す扉は開かれているんだから。

14 酔いどれ先生の文学研究入門

完遂への道は　果てしない
日々の　すべての瞬間を心に留めよ！
——ワレーリー・ブリューソフ

とんでもない先生に出会ってしまった。「文学研究入門」を教えるアレクセイ・アントーノフ先生は、学生のあいだではちょっとした有名人だった。どうしてかといえば、しょっちゅう酒を飲んでいるからである。文学研究入門は月曜日の一・二限だったので、この時点で酔っていることはさすがにあまりなかったが、どこで飲んでいるのか、授業が終わると大学構内にいるうちから早々と酔っぱらっている。おまけに独り身で私たちと同じ学生寮に住んでおり、休みの日になると学生の目などつゆほども気にせずビールを片手に寮のなかや近所の公園を徘徊するのだから、そりゃあ目立った。けれども特に入学したばかりで緊張している一年生にとっては、そのめちゃくちゃさゆえに空気を和ませることのできる人気者でもあった。

でも先生の人気の理由は、もちろん酒のせいだけではない。授業だ。さっきまで校舎の前で麻薬でもやるかのように熱心に煙草を吸っていた先生は薄汚れた路地裏をふらつく飲んだくれと大差ない風貌だったのに、教壇に立ったとたんに顔が変わり、別人になる——

こんにちは。はい座ってください（ロシアでは、先生が教室に入ってくるとまず全員が起立し、先生に着席と言われて座る習慣がある）。今日は文学作品における表現の種類の続きで「人物像」についてです。文学作品のなかには、大きく分けて三種類の人物像があります。ひとつ、個別的形象。代表例は、ある特定の人物について書かれた回想録や伝記的な記述です。たとえばイワン・ブーニン[*24]の『チェーホフについて』はチェーホフがほかの作家といかに違うのかを描いていて、作者の意図としても「たったひとりのチェーホフという作家」を書こうという意図がありました。あるいはゴーリキーが書いているレーニンやレフ・トルストイについての回想。どちらも一般の人にとってすでに伝説化された存在だったけど、ゴーリキーにはそんな彼らを読者の目に浮かぶような人間として描きだす手腕があった。ここで注意するべきなのは、「個別的形象」かどうかは、絵画でも肖像画の質が「似顔絵と

＊24——一八七〇〜一九五三。作家。革命後に亡命。『暗い並木路』『村』など。ロシア人として初のノーベル文学賞を受賞。

してみて似ているかどうか」で決まるわけではないのと同じように、「実際の人物に似ているかいないか」という問題ではないということです。たとえばゴーリキーの描いたレーニンは非常に詩的で条件的な形象としてのレーニンです。けれども作者はある特定の人物をとりあげて、それをひとつの個性として描きあげている――これが「個別的形象」の条件です。ふたつ、性質的形象。人間の性質に主眼を置きそれを描く。もちろん性質だけを書いても人物像にはならないのでここにも個人的な特徴は描かれるけど、「個別的形象」よりだいぶ概括的な特徴になります。たとえばプーシキンのエヴゲーニー・オネーギンは、「余計者」の典型として文学史のなかで受け継がれていくわけですが、これはプーシキンが巧みにあの時代の申し子の心理を摑んで描き出した結果でもありますね――こういう人物像のことを「性質的形象」といいます。「いろんなことを少しずつ」学んだという生い立ちや周囲とのかかわりかたに、「オネーギン的」性質が常に反映されている。アレクサンドル・デュマのように心理的性質の描写に秀でた作家は、ひとつの作品のなかでたくさんの性質的形象を生み出しています。もっと知りたい人はぜひカール・レオンハルト[*25]の『強調された個性』という本を読んでみてください。みっつ、累計的形象。性質的形象よりもさらに個別的要素が削ぎ落とされ、社会的・累計的現象としての人物像をつきつめた形がこれにあたります。その人物の生い立ちを詳しく描かずとも、あるタイプの人間の特徴をクローズアップすることによって、読んでいる人が思わず「あー、いるいるこういう人！」と言いたくなるような人物。ハムレットがこの代表例で、読者はハムレットの幼少期や人格形成に影響した伝記的エピソードなんかを詳しく知らされていないのにもかかわらず、彼の本質的特徴やそれゆえの葛藤を感じることができるし、どの時代のどの国にも必ずハムレット的な内面を抱えた人物がいるのがわかるからこそ、世界中で読み継がれているわけですね。次に、意味的な層からみた場合の分類は……。

先生は余計な雑談など一切せず、いきなりホワイトボードに文字や図形を書いて本題に入るのだが、学生たちはいかにその直前までわいわいがやがやとしていても、先生が話をはじめるとすうっと教壇に気配を吸いとられるように透明になる。授業のはじまりはいつも、まるで劇場の幕があがる瞬間だった。魅了される観客と化した学生は、息を呑んで前を見つめる。先生は講義をしているというよりは演技をしているふうで、文学用語の説明のための例文は生き生きとしたモノローグのように力強く教室に響く。そもそも歳がまっ

＊25――一九〇四〜八八。精神科医。『強調された個性』（一九七六）は、ゴーゴリ、ドストエフスキー、トルストイ、シェイクスピア、ゲーテ、スタンダールなどの登場人物の心理分析に精神医学を応用。

たくわからない。たとえばシェイクスピアの登場人物になりきって台詞を楽々と暗唱しているときは三〇代にも見えるが、休みの日に寮や近所で見かけると、気が抜けているせいか酒のせいかその両方か、だいぶ歳上に見える。だがともかく授業ではそうして優れた俳優が客席を舞台の一部にしてしまうのとそっくり同じように、大教室を埋めた五〇人以上の学生たちがいつのまにか教壇との一体感を共有しているのである。初めて先生の授業を受けたあと、もう学生たちの出ていった教室にひとり残り、私はしばらく呆然としていた。いまのはなんだったんだろう。授業だろうか。授業って、こういうものだっけ。

まず悟ったのは、いままでのような授業の受けかたではだめだ、ということだ。ロシア史や文学史や哲学の講義なら、私は最初に教科書をざっと見て、講義では先生が強調していることがらや紹介された文献名を中心にノートをとり、それらの文献や学期の初めに配られる読書リストの本を読んで試験に備えるというごくありふれた勉強法を取り入れていた。ところがアントーノフ先生は教科書を一切使わず、読書リストも文献表も配らず、教室に入ってきてから出ていくまで、怒濤のようにどの教科書にも書いていない重要なことばかりをまくしたてていく。書店をめぐり、大学生用の「文学理論」「文学研究入門」の本を見つけられるかぎり入手したが、どこか違う。「形象」「メタファー」「メトニミー」といった用語は同じでも、先生の説明には教科書にはない理解や、それぞれの概念のつながりや、文学作品における使用例が山のようにでてきて、その教科書にない説明こそがいちばん重要な部分なのである。絶対に聞き逃したくない。ひとことも。

そんなことを考えたのは初めてだった。文学大学ではどの講義もどの先生も、たいていは「本を読むこと」に重きを置いていた。たとえば一九世紀文学なら一九世紀文学の作品をずらりと並べたリストが配布され、各自がそれを読む。読みこなせば問題なく試験に受かる。アントーノフ先生の授業だって、教科書の指定がないだけで自分なりに文学研究や理論系の本を読んでいれば、試験には受かるだろう。でもそんなのは嫌だ。とにかく聞きもらしたくない。

速記を覚えよう――とっさにそう思った。そんな練習はしたことがなかったが、通訳の人がやっているような速記の方法というものを、どこかで読みかじった覚えがあった。人の話を聞きながら、紙の片側に余白を残しつつ縦長につらつらとキーワードを書き留めていく。この時点でリアルタイムにすべての単語を書くのは不可能だから、間が空いたりした隙をみはからって本来の発言に近づくように空欄に補足をし、最大限に話者の言葉を再現できるようにする――うろ覚えだったが、その方法に頼ることにした。

だけど、授業中のアントーノフ先生は絶え間なく喋り続けている。少なくともその場でメモの補足や再現なんてする暇はなさそうだ。じゃあ講義の直後にやろう。脳が覚えているうちに、なるべく講義ノートを完璧な形にできるかもしれない。いや、でも人間の脳が人の声をそのままの形で記憶していられるのって、どのくらいなんだろう。ひとつやふたつの台詞じゃなく、まるまる二コマぶんの声を記憶するなんてことができるだろうか。でも、やってみるしかない。

次の週、私はまず最前列に座り、全身を耳にしてアントーノフ先生の授業を聴き、授業が終わるとそそくさと空き教室を探して机に向かい、さっき書き留めたばかりのメモをもとに講義ノートの清書に取りかかった。……できる。覚えている。単語の最初の三文字からでも、先生の声がよみがえる。聴こえる！

この喜びが私をやみつきにした。あまりに嬉しかったので、「こんにちは、はい座ってください」のところもしっかり書き留めた。驚いたことに、いちど清書してしまうとそのノートからは、いつひらいても先生の声がした。声質を覚えているとか、イントネーションがわかるとか、そんなものではない。引用した台詞のどこに熱を込めて語ったかも、話の途中でとられた間合いも、言い淀んだ箇所も、ちょっと笑ったところも、すべてがそのまま再生されるのである。幻聴じゃないかと思うほどはっきりと。そうして私は、清書した講義ノートをひらくだけで何度でも繰り返し授業を受けられるのだった。

このがんばりには予想外の副産物がついてきた。元来私は人の話を聞くのが好きだったが、ふと集中力が途切れてぼうっとしてしまうこともあった。ところが「アントーノフ先生の授業を完璧に聞きとる計画」を実行して以来、ほかのすべての講義もなんの苦もなしに耳に入ってくるようになった。そうなるともう速記をとること自体が楽しくてしかたなくなって、哲学、文学史、言語学、文体論といった、もともと好きだった授業はどんどんノートをとった。

なかにはそれまで苦手だった授業もあった。ロシア史の教授は絵に描いたような大国主義者で、「大きなロシアには大きな権力！」というのが口癖だった。そこまでいけば清々しいような気もするが、旧ソ連圏の共和国からの留学生を小馬鹿にしたり、他国に対する差別的な発言をしたりするので、そういった言葉を聞くたびにげんなりとし、ときには食ってかかりたくなるほどカッとなりもした。それに、そんなふうに腹の立つ言葉を一所懸命に聞きとろうとする作業が、ばかみたいで嫌だった。ところが、気負わずに講義が聞けるようになるとあまり気にならなくなった。あいかわらず好きにはなれなかったが、まるでロシア文学に出てくる嫌味な登場人物のように見えてきて、マーシャと目くばせしたり顔をしかめ合ったりしながら受け流せるようになった。

アントーノフ先生はいつも教室に入ってきてから出ていくまで一分一秒も無駄にしてた

まるものかという勢いで授業をしたが、九月の終わりのあるとき一度だけ、教室に入ってくるなり「今日は授業の前にちょっと外に出ましょう、みんなついてきなさい！」と言って教室を出ていってしまった。みんなでぞろぞろとあとをついていくと、先生は大学を出て通りに向かう。そして大学から歩いてほんの数十歩のところの並木路にあるエセーニン像の前に立ち、「今日はセルゲイ・エセーニン[*26]の誕生日なので、みんなで好きな詩を読みましょう、やりたい人！」と呼びかけた。学生たちはわあっと盛りあがり、われ先にと銅像の前に歩み出て次々に詩を暗唱していく。さすがは文学大学、と感心し、私は同級生たちの元気な声に耳を傾けた。エセーニンほど愛されている詩人も珍しい。文学が好きな人なら誰でもひとつやふたつは暗唱できるのだ。

授業では先生が毎回さまざまな作品を引用したが、引用となるとまたいちだんと揚々として言葉に熱がこもった。詩もたくさん諳じていて、なかでも印象に残っているのがブリューソフの詩だ――

自分自身への　純粋な信頼
それ以外の義務を　私は知らない
この真実に　証拠はない

この神秘を私は　愛しながら見つけた
完遂への道は　果てしない
日々の　すべての瞬間を心に留めよ！〔…〕

その「すべての瞬間を心に留めよ！」というフレーズを速記し清書していると、ほんとうにこの講義ノートの作成がなにかを成し遂げるための第一歩のような気がしてきて、またひとりで喜びをかみしめた。そもそも先生は、とりわけこういった若者を鼓舞するような詩が似合った。学生からもそう言われるのだろう。あるとき「ブリューソフをよく引用するのは、好きだからとかじゃないんですからね。わかりやすくて説明しやすいからですよ」と照れたように言いわけを付け足した。そんなことで照れる必要もなかろうに、と思

*26―一八九五〜一九二五。リャザンのコンスタンチノヴォ村出身の詩人。「最後の農村詩人」を名乗り、郷愁や農村の動植物を詩にしたほか、「やくざ者」を名乗り酒や放浪を詠って人気を博し、現在でも広く読み継がれている。毎年プーシキンの誕生日におこなわれるロシアの好きな詩人ランキングでは、二〇二一年にエセーニンがプーシキンを抜いて第一位になっている。

うとなんだか可笑しかった。まあ確かにブリューソフという人は、ドミートリー・ブィコフ[27]も「これほど評判の悪い詩人も珍しい」と言っているほど、伝説的な悪評のつきまとう詩人である。しかしそこまでいくとむしろ逆に興味をそそられるし、世界の詩の形式研究やそれをもとに翻訳した詩のアンソロジーをはじめとした功績は圧倒的な労力と技能の賜物である。

一時帰国の際、私は日本でも文学理論系の本を探した。テリー・イーグルトンの『文学とは何か』を読み、さらに訳者の大橋洋一先生の著書『新文学入門』を読むと、第一講の冒頭で大橋先生が唐突に「わたしは筒井康隆の小説『文学部唯野教授』のモデルではありません」と書いているので、なんのこっちゃと思いつつも『文学部唯野教授』のほうも読んだ(以上三冊は岩波書店)。いつのまにか自分にとって「文学研究」とか「文学理論」といった言葉が特別な意味を持っているのが、じわりと嬉しかった。

*27——一九六七年モスクワ生まれの作家、批評家。膨大な知識量と軽快な語りで多くの伝記書や作品解説を書いている。

15　ひとときの平穏

家　――　まるで少女のころの……
――『家』マリーナ・ツヴェターエワ

マーシャと暮らす寮の「ボヘミアン部屋」をどうにかしなくてはならなかった。まずは寮長に頼んで二段ベッドをもらった。二段ベッドも「兵士式」のちいさく粗末なものではあったが（マットレスもなく、金属の網の上にフェルト布をのせて布団を敷く）、部屋が狭いのでちょうどいい。マーシャが「上の段がいい！」と言うのでこころよく譲った。お姉ちゃんになった気分だ。実際、私のほうが少し年上だし背もだいぶ高い。マーシャはとても小柄で華奢だった。コートのフードをかぶって「童話の小人みたいでしょ」と言っていたのがかわいくて、私はよくマーシャの背後からこっそり近づいてばさっとフードをかぶせた。背の高い日本人とちいさなロシア人なら、ステレオタイプを打ち破れるね、と言い合った。

文学大学の寮は一九五〇年代後半に建てられた七階建ての建物で、私とマーシャの部屋は五階にある。中央には金網に覆われたかなり年代物のエレベーターがあり、エレベーターをぐるりと取り囲むように階段がある。大学の関係者ばかりで基本的に平和で治安が良く、ソ連映画に出てくるような和気あいあいとした雰囲気があった。独り身のアントーノフ先生だけでなく、一九世紀文学史のスタヤノフスキー教授も、一時的だったのかもしれないが当時は妻とちいさな子供と一緒に寮に住んでいた。アントーノフ先生は私たちとは違う階だったが、スタヤノフスキー教授の一家は同じ階の奥にある少し広い部屋に住んでいて、子供の手をひいて学生寮の廊下を歩く姿をよく見かけた。学生同士は基本的に二人部屋で、恋人同士であれば男女二人で住むこともできた。私たちの隣の部屋にいたのも、すでに夫婦のような恋人たちだった。日本でこの話をしたとき、「恋人同士で住めるというのはアメリカより進んでいるのではないか」と言われたことがある。アメリカの事情はよくわからないのでうまく答えられなかったのだが、おそらく進んでいるというよりはむしろ果てしなく遅れすぎた結果だった。つまり大学全体がひとつの家族のような共同体意識のようなものでつながれていて、社会主義時代の名残もいくつも残っていたのだ。ソ連の寮に必ずあったという談話室のような一角があり、いつも誰かがギターを弾き歌をうたっている。洗濯機などというものは一切なくみんな手洗いで、階にひとつしかない洗面室にたらいを持ち寄り、お湯をためて服を入れて足で踏んで洗濯し、ロープを張って洗濯物を干す（二一世紀である！）。その洗面室であるとき水道工事があり、蛇口が交換された。お湯の蛇口と水の蛇口に、英語で「ホット」「コールド」と書かれているが、なんとそれがことごとく逆なのだ。赤い色のホットをひねれば水が、水色のコールドをひねればお湯が出る。八つほど並んだ洗面台、すべてがである。工事の人が読めなかったか、あるいは洒落のつもりなのか。しばらくはマーシャと「ホットは冷たい、コールドは熱い」と確認し「マクベスの魔女になった気分だね」「こういうことだったのね！」と笑いながら洗濯をしていたが、じきに慣れた。問答無用、ホットは冷たいのだ。

大きく「ボヘミアン」と書かれた壁には上から風景写真のポスターやカレンダーを貼り、二段ベッドのおかげで少しだけあいたスペースにはこれまた寮長に頼んでもらってきたちいさなテーブルを置いて二人用の食卓にすると、部屋はだいぶまともになった。そのうち、噂を聞きつけた上級生が私たちの部屋を見学にきた。彼女は「へえ〜！」と感心して部屋を見回し、「去年まで寮でいちばん荒れたパーティー部屋だったのに、いまじゃいちばん勉強熱心な人たちの部屋になったのねえ」と、ひとしきりうなずいて帰っていった。

私たちは買い物のついでによく近くの公園を散歩した。そこに一本だけ、幹がぐねぐねと曲がりくねった大きな木があった。どう育ったらそうなるのかと思うような妙な曲がりかただったが、マーシャは一目でその木を気に入り、「ユリとマーシャの木」と名づけた。

あるとき、マーシャが眼鏡もかけずに部屋の窓からじっと外を見ているので不思議に思い、「見えるの?」と訊いてみた。マーシャはかなり視力が悪く、ふだんは度数のきつい眼鏡をかけている。「見えないわよ。当たり前でしょ。緑色のもやもやしか見えない」と、窓の外の木々を眺めてマーシャはおかしなことを言う。「眼鏡かけないの?」と訊くと、「だって、眼鏡って嘘だから」と、さらにおかしな答えが返ってきたのでつい笑ってしまったが、マーシャは真面目な顔で続けた——「世のなか、嘘が多いわよね。まやかしばっかり。でも私がいつも眼鏡をかけて見えるつもりになってるのだって、まやかしなのよ」と。「でも、かければ実際に見えるでしょ。じゃあ、まやかしじゃないんじゃないの。少なくとも『見えてるつもり』じゃなくて、ほんとに見えてるんだから」と私は言ったが、マーシャは「いいの。とにかくまやかしなの。たまにはごまかさずに見てみたいのよ、世界を」と言い、そのまましばらく「まやかしのない緑のもやもや」を見つめていた。ときには外でそれをやるものだから、私はマーシャが転んだりぶつかったりはしないかとひやひやした。けれどもその調子で、とにかく彼女といると世界は面白く、特別な出来事などなにもなくても退屈しないのだった。

マーシャはマリーナ・ツヴェターエワ[*28]が好きだった。いや、好きなどというなまやさしいものではない。ツヴェターエワの詩とともに生き、まるで親しい友達の身の上を語るようにツヴェターエワの生涯を語り、ツヴェターエワの誕生日には彼女ゆかりの地、タルーサという（かなり行きにくいところにある）村まで、バスで数時間かけて私を連れていってくれる。ちょうどこのころ、日本では前田和泉さんの著書『マリーナ・ツヴェターエワ』（未知谷）が刊行された。一時帰国の際に私がその本を買ってくると、マーシャはまるで日本語が読めるのではないかというくらい夢中になって図版に目を凝らしながら本をめくり、「ここはきっとあの話ね」と書いてあることを予測しながら喜んでいた。そんなある日の夜、マーシャはツヴェターエワの『家』を朗読してくれた――

しかめた眉の下
家――まるで少女のころの
昼、私の若き日が
出迎えてくれるみたい「こんにちは、私！」と

*28――一八九二〜一九四一。詩人、作家。革命時に西欧へ亡命し、ドイツ、チェコ、フランスに住む。三九年にソ連に戻るが、四一年に自殺。

聴きながら、思う――不思議だ。いつのまにやら「家」という短い単語に、こんなに感慨を覚えるようになっていたなんて。語学をはじめたときにはただの記号だったものが、実態となり、さらに実感となる。一緒に食事をし、一緒に学校へ行き授業を受け、買い物をして帰ってきて手洗いで洗濯をし、一緒にごはんを作って食べ、もっと語り合いたいときには紅茶を淹れる。紅茶ポットなどない。マグカップに直接茶葉を入れてお湯を注ぎ、茶葉が沈んだら浮きあがってこないようにそうっと傾けて口に運ぶ。マーシャは砂糖壺の砂糖を壺から直接さらさらととめどなく流し入れ、飴玉みたいに甘いお茶を飲む。私は砂糖は入れない。お互いに「うわー、そんなの紅茶じゃない！」と言い合ってはしゃぎ、そのままよく真夜中まで紅茶を注ぎ足しながら話し続けた。そのころの私たちは、生まれてこのかた誰かとこんなにも一緒にいたことがあっただろうかと思うほど一緒にいた。ペテルブルグの寮もサーカス団の宿泊所も「家」には違いないし、大切な友達もいたけれど、マーシャとの暮らしには家庭のような安心感がある。けれどもツヴェターエワの詩にあるのは安心感というよりはもっと鋭利ななにかで、私はいつもマーシャがツヴェターエワを朗読すると心がざわざわした。

16 豪邸のニャーニャ

男の子はもう二時間も　門の前でニャーニャを待っている
——『うっかりニャーニャ』エドゥアルド・ウスペンスキー

二年生になったころ、国立映画大学に通う友人から、ニャーニャのアルバイトをやらないか、と勧められた。ニャーニャというのは猫ではない。ロシア語でベビーシッターや子守りのことだ。そんな話が私のところにまわってきたのは、先方の家庭で日本語を必要としていたからだ。フランス人の父親と日本人の母親に六歳と三歳の二人の男の子がいる家庭で、父親は国際転勤の多いフランスの銀行に勤めており、ロシアへは数年の滞在予定で来たばかり。子供たちの第一言語はフランス語で、この先もフランス語学校に通わせるつもりだが、母の言語である日本語も習得させておきたい。しかし周囲に母親以外の日本語話者がおらず、もっと日本語を身近に感じてほしいので、日本語のできる人に文字を教えたり自然な会話をしたりしてもらいたい、という。

そんなに特殊な事情なら確かに日本語話者が必要だろうと、私は引き受けた。一年次に比べれば時間割には余裕がある。一～二週間に一度ならば勉強との両立もなんとかなるだろうし、学校でも寮でも同じメンバーに会い続けている毎日にはいい刺激になるかもしれない。それに、もともと子供は好きだ。

そんなことを考えながら指定された住所に行くと、目の前にはスターリン様式の、ソ連時代の省庁さながらの威圧感をかもしだす高い建物がずどんと建っていた。道を間違えたかと思って番地を確かめたが、合っている。ここは一般住宅らしい。入ってみると、折目正しい警備員に挨拶された。警備員はどこにでもいるが、街角や寮の警備員がたいていとぼけた兵士のような風貌なのに対し、ここの警備員は高級ホテルのドアマンのようで、同じ言葉で表していいものか躊躇する。内部に通され遥か上の階にあがってインターホンを押すと、私を迎えてくれたのはごく普通の小柄で小ぎれいな日本人女性だった。一瞬ほっとしたが、案内されたリビングには見たこともないほど大きなガラス窓があり、そこからモスクワの景色が一望できる。さらにふと見るとキッチンでは黒人女性（当時のモスクワではまず見かけなかった）が黙々と家事をこなしている。住み込みのメイドさんだろうか。私は番地どころじゃなく、時代や国ごと間違えてしまったんだろうか——という素っ頓狂な考えがよぎる。でもキッチンに揃っている冷蔵庫やブレンダーなどの家電は最新式だから現代には違いない。むしろ家具家電だけでいえば寮より軽く五〇年ほどは未来である。

出された紅茶をすすっていると、日本でよく見かけるビスケットのチョコレートがけ菓子をすすめられた。日本食や日本茶が恋しいといって取り寄せる日本人がいるのはまだわかるが、チョコレート菓子などロシアにありあまるほどあるのに……と不思議に思っていると、「ほらこのお菓子、チョコレートがかかってるけどほとんどは麦のブラン入りのビスケットだから、罪悪感が少なくっていいのよ」と、女性はにっこり笑った。そう言われても、「罪悪感」という重い言葉とお菓子がどう結びつくのか、すぐにはピンとこなかった。彼女はいったいなにを言っているのだ。なにかに罪を感じているのだろうか。ひょっとして、豪華な暮らしをする罪を。しばらくしてようやく、そういえば日本ではダイエットの文脈で、カロリーの少ないものを「罪悪感が少ない」と言い表すことがあるんじゃないか、と思いあたり、「あ」と思った。どうやら私は少し日本のことを忘れかけているらしい。

そんなことを考えているあいだにも依頼主はてきぱきと、こういうことはしないでください、できればこうしてください、といった希望を並べている――子供たちの言いなりにはならないでください。上の子はまだところどころひらがながあやしいから、そこからはじめてください。下の子はちょっと言葉の発達が遅めで心配しているんです。目を離すと上の子が下の子にけっこう強くあたるので気をつけてください。ゆりさんはフランス語もわかるみたいだけど、フランス語はなるべく使わないで、聞こえても聞き流してください。ロシア語は決して教えないでください。ご自身が試験前などでお忙しいときは無理をしないでおっしゃってください。

ひととおり説明し終えると、「あの、地下鉄でいらっしゃるんですよね」と訊くので、「はい」と答えた。モスクワで地下鉄に乗らずしてなにに乗るのだ、バスか、路面電車か、と考えたが、むろんそういう話ではない。彼らは車でしか動かないのだ。「では」と彼女はルーブル札を何枚か差しだした。「このお金で、ゆりさん専用の新品の部屋着を買ってきていただきたいんです。スウェットとか、楽な格好のものを。部屋着はこの家に置いておいて、家に入ったらまずその着替え室で手を洗って部屋着に着替え、それから子供たちに会っていただけますか」。

私は淡いパステルカラーの柔らかい布地のスウェットの上下を選んで買ってきた。仕事着である。着替えるとなんだかさっぱりして、ちょっと緊張もした。

子供たちはとてもかわいくてパワフルだった。黒い髪を短く切った六歳の男の子は驚くほど利発ではきはきとして、明るい色の巻毛をした下の子はまだまだ幼児らしくあどけない。ほうっておけば二人ともフランス語を話してしまうのだが、私がいる間は日本語で話しましょうというルールになっているので、上の子は「あっ」と口をおさえて日本語に戻る。下の子はそうはいかない。おもちゃをぽーんと放り投げては「カッセー（壊れたー）」というのがお気に入りの言葉らしいが、これを日本語でいうならなんだろう、「がしゃーん」とかだろうか。

そんな下の子が怪我をしないように気を配りつつも上の子にひらがなを教えていると、確かにいくつか覚えられない字があるらしい。あ行、か行、さ行あたりまではたまに左右が反転するもののなかなか順調で、難しそうに見える「す」なんかも書けるのに、た行にくるとどういうわけか単純な形をした「て」がいつも思い出せずにひっかかる。私は自分の右手をひらいてみせ、「ほら、答えはいつも『て』に書いてあるんだよ」と手の皺を見せた。その子は目を丸くして、自分の右手をひらいてじっと見つめ、「ほんとだーっ！」と叫んだ。その日は私が帰るまで、何度も手をひらいてはにこにこして皺をなぞっていた。

勉強が終わると、敷地内の公園を散歩する。しばらく通ったある日のこと、外を歩いているときに上の子がぼそっと「ロシア語がやりたい」と言った。「ママはフランス語と日本語をちゃんとやるためにロシア語は覚えちゃだめだっていうけど、でもここではみんなロシア語を話してるんだよ。ロシア語がわかんないとそのへんの子が言ってることも、いつも車を運転してくれるロシアのおじさんが言ってることも、なんにもわかんないんだよ。みんなが言ってることがわかるようになりたいよ！」――胸が痛んだ。もし教えれば、この賢そうな子はロシア語もすぐに覚えてしまうだろう。この年ごろの子は周囲のすべてを吸収し、言葉を体感して大きくなっていくものだ。すぐ目の前にある柵の向こうを歩いていく親子の会話も、駆け抜けていく子供たちの会話もわからない疎外感はつらいだろう。けれども同時に、いまロシア語をやったらフランス語や日本語を母語として使いこなせるようにならないかもしれないという両親の危惧もわかる。

ニャーニャの仕事を終え寮に帰ると、ぐったりと疲れていた。心地よい疲れの奥底に、驚きのようななにかがあった。「どうだった、久しぶりに日本の人に会ったんでしょ?」とマーシャに訊かれて私はぽかんとし、ああそうだった、と納得する。久しぶりに同郷の人に会ったはずなのだ。なのに、いま自分が感じているのは端的に言えばカルチャーショックであり、そのことに私は驚いていた。マーシャの淹れてくれた紅茶を飲みながら「別世界みたいで緊張した」と話すと、マーシャは「どうして?」とくすくす笑う。ああ、やっぱり落ち着くなあ。

寮で暮らしている学生のほとんどは、かなりお金がない。学費は無料、教科書や課題図書はもちろんすべてが無償貸与。生活費は成績によって絶えず微妙に変動する雀の涙ほどの奨学金でまかない、食事は自炊と大学の食堂を利用する。あのころは食堂も無料だった。無料の学食はロシアでもかなり珍しく、いまでは廃止されてしまったが、これはソ連崩壊後に文学関係者にまわってくるお金が激減し、先生も学生も生活に困窮しているのを見かねてセルゲイ・エーシン学長が作ったシステムで、そのありがたい無料学食チケットは「エーシンカ」と呼ばれて親しまれていた。メニューはほとんど選べない給食のようなもので、ロシアらしくぐだぐだに茹でたマカロニに油をからめて塩胡椒がふってあり、肉だけを丸めた塩味のミートボールと、生のにんじんを細切れにしただけのつけあわせが添えられ、野菜の切れ端が浮かんだスープがついてくる。夕食は寮で（なるべく具材のある）スープを作り、黒パンを添えて食べる。きわめて質素な食事だが、この学生寮に入って以来、私はつとめて同じ食事を摂るようにしていた。外食などまったくしなかったし、外でなにか食べるとしたら屋台のじゃがいもの丸焼きくらいだが、それすら贅沢の部類に入った。

マーシャは故郷の母親がモスクワに出てきたいと言っており、ただでさえお金がないのに工面して母親の上京資金を貯めようとしていた。ほかの学生もさまざまな事情を抱えていて、日本円に換算してしまえばほんの少しのお金のためにたいへんな苦労をしている。故郷の遠い、たとえばシベリア出身の学生は休暇になってもシベリアまでの（飛行機ではなく、列車の）交通費がなくて帰れない子もいる。毎日彼らと寝食をともにしていたら贅沢をしようなどという発想はとても生まれてこないし、たとえ豪華な食事をしたとしてもおいしくなどないだろう。

マーシャとかじる黒パンはおいしかった。黒パンも蕎麦の実も大好きになったし、ぐだぐだにやわらかいマカロニまで妙に好きになった。やわらかすぎるパスタにはちょっとした伝統がある。実は、ロシアにアルデンテを伝授しようという試みは、ニコライ・ゴーゴリ[*29]がやって失敗している。イタリアびいきのゴーゴリは現地でアルデンテのパスタに感動し、ロシアに帰ってから友人セルゲイ・アクサーコフ[*30]の家へ行き、ポケットからパスタとチーズを取り出すと自ら台所に立って料理し、「これぞ本場のパスタ!」と食べさせた。ところが当家の人々は「茹で足りない」と感じ、胃もたれまでした——と、アクサーコフ自身が書き残している。茹でまくったパスタは胃に優しく、穀物といえばおかゆ(カーシャ)文化のロシアの感覚で食べると、おいしいのだ。それから蕎麦の実は、その名の通り日本では蕎麦の原料となる実だが、これもやっぱりカーシャにする——軽く空煎りしてからたっぷりめの水でやわらかく炊き、仕上げにバターを加える。炊くときに玉ねぎのみじん切りなどを入れてもよい。

寝る前に二段ベッドの上段にいるマーシャとまだ言葉を交わしながら、私は昼間の出来事を思い返していた。あの女性が「豪華な暮らしをする罪」など感じているはずがないのに、妙なことを考えた自分が可笑しかった。彼らにとってはあれが日常なのだ。家事全般をてきぱきこなすメイドさんがいて、子供たちには日替わりでなにか習い事を教えてくれる人が来て、ありとあらゆる最新式の家電が揃っていて、窓からはモスクワの街全体が見下ろせて……そんなふうになにひとつ不自由がなさそうでいて、「言葉」にだけはどうしても不自由してしまい、だからこそ私を呼び寄せた環境——それが彼らにとってのモスクワなのだ。

自分の、あまりにも対照的な日常を思う——最新の家電どころか洗濯機もなくお金もなく、部屋には机と「兵士式」の粗末な二段ベッドしかないけれど、「言葉」だけはいくらでもあり、朝から晩まで本を読んだり議論をしたり、全身を耳にして講義を一語一句聞きとったりする日々が、いつのまにか充実した幸福の連続に思えるようになっていて、私はここへ帰ってくると心底安心する。

ペテルブルグにいたころはまだ日本の夢をみた。仲良しの女友達と一緒にデパートに並んだアクセサリーや洋服をなんとなく眺めて歩いたことや、カフェでただおしゃべりして

*29——一八〇九～五二。ウクライナ生まれのロシア語作家。ウクライナを題材にした作品や、ペテルブルグの下級官吏を描いた『外套』や、畢生の長編『死せる魂』など。詩も書いている。
*30——一七九一～一八五九。ウファ生まれの作家。作家や芸術家と親交して優れた回想を残した。特にゴーゴリについて書いた回想録は広く読まれ、ロシアの回想文学ジャンルの発展に貢献した。

いたその時間を夢にみて、懐かしくなることもあった。けれどもこのころには、日本どころかペテルブルグ時代のそんな気持ちさえ思い出さなくなっていた。

それにしても、あの子はずいぶんしっかりしている。六歳だというのにあんなに自分の意見に説得力を持たせて語れるのだから、将来が楽しみだ。それにひきかえ私はどうも頼りがない。頼りないニャーニャといえば、エドゥアルド・ウスペンスキー[*31]の書いた子供のための詩に、『うっかりニャーニャ』という詩がある。うっかりニャーニャはちいさな子供をそりにのせて散歩に出かけるが、子供がそりから落ちたのに「あら、軽くなった」と思うだけで、気にせず先に行ってしまう。市場で買い物を済ませてから、ようやく子供がいないと気づいて慌てる。けれどもしっかり者の子供は家の前で待っていて、「迷子になってしまったニャーニャ」を心配し、このまま家に帰ったらニャーニャを迷子にさせてしまった自分が叱られるんじゃないかと考えている。ロシア語で読むとテンポがよく愉快な詩だ。だけどロシア語が禁止である以上、あの子たちにとっての私を表すロシア語――「ニャーニャ」という心地よい響きの言葉さえ分かち合えないのは、やっぱりちょっとさみしい気がした。

*31——一九三七〜二〇一八。児童文学作家。日本でも人気の『チェブラーシカ』シリーズの原作のほか、縞模様の猫と犬と少年の登場するアニメ『プロスタクヴァーシノ村』シリーズの原作などで知られる。

17 種明かしと新たな謎

そして毎晩　決まった時刻に
（それとも　僕がみている夢？）
——『かの女（ひと）』アレクサンドル・ブローク

ペテルブルグのエレーナ先生の授業で詩を教わってから、詩は私にとってずっとエレーナ先生がくれた魔法の続きだった。テロや殺人事件が続いて心が曇りそうになったとき、私は寮のベランダに出て、ブロークの詩が印刷されたプリントをぶつぶつぶつぶつと呪文のように繰り返した。そうするうちに心のなかが次第に詩のリズムと言葉でいっぱいになって、ほかのものなんてなにもいらなくなる。なかでもニズナコムカ——『かの女』という詩が好きだった（これまで『見知らぬ女』と訳されることが多かったが、主人公は「毎晩決まった時間に」彼女と会って「不思議な親しみ」を感じており、おまけにあくまでも語り手にとっては崇高な人で、詳しい素性がわからないだけであって「見知らぬ」という言葉はそぐわない）。これはブロークの代表作といってもいいくらい有名な詩で、あえて訳すならこういう詩だ——

毎晩　飲食街の上空を漂う
熱い空気は　荒く　重い
酒飲みたちの　大声を操る
朽ちゆく　春の精

遠く　横丁の砂埃が舞う
別荘地の　退屈の上
仄かに金に輝く　パン屋のクリンゲル
そして響く　子供の泣き声

そして毎晩　踏切の向こう
山高帽を　斜にかぶり
水路の合間を　女たちと歩く
場馴れした　毒舌家たち

湖では　オール受けが軋み

女の　叫び声が響く
空には　飼い慣らされた月
むなしく　顔を歪める

そして毎晩　僕の唯一の友は
グラスの中に　映り
その渋い　神秘の液体は
僕も彼も　陶酔させ　従順にし

となりのテーブルの　脇には
眠そうな従者が　突っ立っている
うさぎの目をした　酒飲みが
In vino veritas! と　叫ぶ

そして毎晩　決まった時刻に
（それとも　僕がみている夢？）

少女のような胴に　絹を巻き
曇った窓に映り　歩いてきて

ゆっくりと　酒飲みの間を抜け
いつもひとり　誰も連れず
香水と霧を　漂わせ
彼女は　窓際に座る

そのしなやかな絹は　昔の
言い伝えを　思わせ
帽子には　喪の羽かざりを
細い手には　指輪をして

不思議な親しみに　とらわれ
黒いヴェールの　奥を見つめる
そこには魅惑の　河岸が見え

魅惑の　彼方が見える

僕は　深い神秘を抱え
誰かの太陽を　与えられている
心のひだの　隅々にまで
渋いワインが　染み渡る

傾いた　駝鳥の羽が
僕の脳裏に　揺れている
青い　底なしの瞳が
遠い彼岸で　華やいでいる

僕の心に眠る　宝物
僕だけが　その鍵を握る
お前はまさに　酔った化物
わかるよ——真実は酒のなかにある[*32]

あえて訳すなら、と書いたのは、私がこの詩を好きになったきっかけは原語の「音」だったからだ。はじめに読んだときはどうしてパン屋のクリンゲルが輝くのかといった時代背景的なこともわからなかったし（これはこの時代の風物詩で、当時のパン屋は金色に塗ったクリンゲルのマークを看板がわりの目印として往来に突き出す形で掲げていた。クリンゲルというのはドイツのプレッツェルに似た形の北欧のパンで、クリンゲルをパン屋の目印に使う慣習も北欧由来のものだが、この慣習が当時のペテルブルグにも広まっていた）、ブロークの伝記的事実も知らなかった。ただエレーナ先生が朗読してくれた詩のなかで、音の響きがばつぐんによかったのだ。私は音楽に聴き入るようにこの詩の音に聴き入り、ひとつひとつ発音を確かめては幸福に浸り、中毒になるくらい繰り返し読んでいた。それ以降のブロークや象徴派の詩を読んでいるときにも、どことなくこれに似た詩があると不思議に思い、書き留めた。

あとになって、コルネイ・チュコフスキー[*33]による回想を読んだ――

*32―中盤のラテン語 In vino veritas!（真実は酒中にあり）を最後にロシア語で繰り返している。
*33―一八八二〜一九六九。児童文学作家。若いころにブロークをはじめとした作家や詩人と交流し回想録を記した。

「暁を間近に控えた深夜、ブロークが初めて『かの女』を朗読したときのことが記憶に残っている。〔…〕象徴主義の詩人ヴャチェスラフ・イワノフの塔――毎週水曜日にペテルブルグじゅうの芸術家たちが徹夜の集会を開いていたあの名高い塔の屋根の上で、ブロークは『かの女』を読んだ。あの塔は、なだらかな屋根に出られるようになっていて、詩とワインに酔った私たち（あのころはワインに酔うのと同じように、詩に酔ったものだ）――画家や詩人や音楽家は、ペテルブルグの白い夜へ、淡い色の空の下へと出る。外見は物静かで、若く、日に焼けた（彼はいつも、早春にいちはやく日焼けしていた）ブロークはゆっくりと、電話線がまとめて入れられている大きな鉄枠の上にのぼり、私たちの熱烈な頼みに応じてあの不朽のバラードを三回も四回も、彼らしい抑制のきいた、くぐもった、単調な、ためらいがちな、悲劇的な声で読んでいた」。

もちろんブローク本人が読んでくれるのだからそれだけで特別だろうが、詩人グミリョフもやはりこの詩を読むと止まらなくなった、という回想を残している別の詩人もおり、やはりこの詩には当時から、何度も繰り返し聴きたくなるような中毒性があったのではないか。しかしそれがどうしてなのか、私にはまだわからなかった。

アントーノフ先生の授業で『かの女』が登場したのは、詩の形式論にさしかかったときだった。「プーシキンの時代に完成されたとされるロシア詩の詩法は音節力点詩といい、厳密に一行の音節数を揃え、アクセントの位置によって強弱格（ホレイ）、弱強格（ヤンプ）という二拍子や強弱弱格（ダクチリ）、弱強弱格（アンフィブラヒイ）、弱弱強格（アナペスト）の三拍子のリズムを生まれさせて詩が成り立っている。これはみんな知ってますね」。うん、これはエレーナ先生も話していた。アントーノフ先生はさらに詳しく、まずはそれぞれの語源から説明する。「ダクチリっていうのはね、もともと古代ギリシア語で『指』って意味。指は関節でみっつに分かれてて、てのひらに近いほうが少し長くて、先のほうに短い関節がふたつある。これが『ター・タタ』というリズム。確かめてみなさい。そう、そういうこと」。なるほど、ダクチリって指だったのか。私はつい先日「て」という字は手に書いてあると教えたとき六歳の子がそうしたのとそっくり同じように、まじまじと自分の指を見つめて喜んだ。授業は進み、詩形の歴史の話に入っていく――

さて一九世紀の伝統的なロシア詩では耳で聞いてわかりやすい、二拍子なら二拍子、三拍子なら三拍子で統一されたリズムの詩が多く、なかでも一行のなかで弱強格を四回繰り返す四脚ヤンプが好まれました。ご存じプーシキンもこの詩形を愛用したけど、使いすぎてしまいには自作のなかで「四脚ヤンプはもう飽きた」と言いだすほどでしたね。二〇世紀初頭のいわゆる銀の時代と呼ばれる時期以降は未来派を中心として詩の形式にさまざまな改革がなされ、音節数にはこだわらずアクセントのみによる力点詩や、行頭を少しずつずらして文字を階段型に並べるマヤコフスキーの階段詩など、音節力点詩の枠を超えた実験的な詩も書かれるようになります。見た目にはそこまで斬新ではなくても実はすごい詩形ってのもありますよ。たとえばブロークの詩は形式的には古風なものが多いですが、『かの女』はそれまでになかったちょっと特別な形式で書かれています。基調は二拍子ですが、行末の脚韻部分をみると一行目は強弱弱格の三拍子なのに二行目は弱強格の二拍子で、それが最初から最後まで徹底して続くわけですね。強弱弱格――「ター・タタ」という頭にアクセントを置いたのちに無力点がふたつ続くゆるやかな歌うようなリズム（ダクチリ韻）と、弱強格――「タ・ター」という末尾にアクセントをおいた力強いリズム（男性韻）――その対照的な脚韻が交互に繰り返される交差脚韻により、一度聴いたら忘れられないような中毒性のあるリズムが詩全体に生まれたんです。

そう聞いたとき、体に電流が走ったような衝撃を受けた。ブロークと同時代の人も、私も、この詩を中毒のように繰り返したくなったことには、そんな理由があったのか。先生が薦めていたミハイル・ガスパーロフの詩史研究の本を入手すると、さらに詳しく前後の流れが書いてある。『かの女』は一九〇六年に書かれ、この斬新な形式はさまざまなパロディや模倣の対象となる。一九一〇年にブリューソフが『自殺の悪魔』という詩で同じ形の交差脚韻を用いたころには、もはや斬新さを感じさせないほど広まった形になっていた。耳で聴いて衝撃を受けるほど特徴的だからこそ、こういった形は特定の「意味のオーラ」を持つようになり、たとえ内容がかなり異なっていても『かの女』へのオマージュを仄めかすことが可能になる。なるほど。確かに以前私が「なぜだか似ている」と感じて書き留めていた詩は、同じ形式で書かれていた。まるで魔法の種明かしである。私は初めて特別に好きな研究者ができた。ガスパーロフのような研究がしたい。詩の形式について、もっと知りたい。

試験期間になり、アントーノフ先生と直接話す機会があった。といってもこれはロシアでは当然の流れで、すべての試験が基本的に先生と学生の一対一の口頭試問の形でおこなわれる。事前に科目ごとに数十の問題文のリストが配られ、学生はどれを当てられても答えられるように準備をしておく。試験当日になると、まず学生たちは廊下に行列を作り、数人ずつ教室に入る。入ったらまず、くじを引く。文学史なら「プーシキンの物語詩」とか、そういった感じの問題文がひとつかふたつ書かれた細長い紙が裏返しになって山になっているので、(うまく答えられる問題が出ますように)と願いを込めつつ、「えいっ」と引く。くじを引いたら席につき、引き当てた問題にどう答えるかを考えながら白い紙にメモをしてまとめ、準備が整ったら先生の前に出ていって、口頭で答える。ただし文学史の授業でも課題図書はすべて読んでいることが前提なので、いくら文学史の流れや作品のあらすじや評価などを知っていても、読んでいなければ不可となる。詩ならばせめて冒頭くらいは暗唱できなければ読んだとはみなされない。とにかく本を読ませるのが文学大学のやりかただった。

その冬、私は一時帰国の日取りが決まっていたので、通常の日程を繰りあげて数日だけ早めに試験をしてもらうことにしていた（試験問題は事前にすべて公開されているので、日程の融通はある程度きくのである）。指定された日の放課後、私は空き教室で試験を受けた。ほかの学生はおらず私ひとりだった。試験を終えると先生は「この作品は中国語には訳されていますか」と訊いた。中国語はわからないけれど日本語ならわかる、と言うと、先生は「あ、日本人」と言い、にわかに遠い昔を見つめるような顔になって懐かしそうに、「モスクワ大学に在学していたころ、寮で日本からの留学生と一緒に住んでたんですよ」と言った。先生の学生時代というのがいつごろにあたるのかがよくわからなかったが、ソ連時代なら珍しい体験だったのだろう。先生はまだしばらくその日本人留学生との思い出を語っていた。私は控えめに相槌を打ちながら聞いていたが、ふと、せっかく時間に余裕がありそうだからチャンスだと思いたって、思いつくままに話した——詩に興味があり、ブロークの『かの女』が好きで、ガスパーロフの本を読んでたいへん感銘を受けたので詩の形式論についてもっと知りたい。以前先生が授業でやっていたフォルマリズムのあたりのことも知りたいのだが、なにを読んだらいいか、と。先生は「ガスパーロフを読んでいるとはすばらしい、ぜひ教えよう」と言い、そのあたりのテーマならまとめて文献表にしてあるから、帰国して戻ってきたときにリストをあげようと約束してくれた。

二週間ほどの短い一時帰国を終えて戻ってきた私は、指定されていた日の放課後、試験を受けたのと同じ教室の前の廊下にある出窓に座って、わくわくしながら先生を待った。単に文献リストをもらうだけだが、ガスパーロフを読んだときの感動を思い出すとあまりに楽しみで胸が高鳴った。ところがやってきた先生は私を見ると、「あっ」とまずそうな顔をした。どうやらリストを忘れてしまったらしい。「いやあ悪かった悪かった。来週必ず持ってくるから、同じ時間に、ここで」と言う。少しがっかりしたが、先生だって忙しいのだ。そんなこともある。でもどうして授業のときじゃなくこの曜日のこの時間なんだろう。まあ、放課後のほうが時間に余裕があるからか。私は次の週、また同じ場所で待った。しかしその週も同じだった。また忘れたという。「ほんとうに申しわけない。来週必ず。同じ時間にここで」。そんなことが幾度も続くうち、まるで私たちは毎週その場所で会うだけの約束をしているような感じになっていった。私は出窓に腰掛けて本を読み、今日も約束のものを持ってこないであろう先生を待つ。なんとも不可思議だ。先生はせっかく詩の技法の種明かしをしてくれたのに、こんなに奇妙な、新たな謎を生むなんて……。私はごく自然に「そして毎晩決まった時刻に（それとも僕がみている夢？）」という、そもそもこの状況を招くきっかけとなった『かの女』のフレーズを思い出し、ブロークの詩にはこういう魔法もあるのだろうかと考える。詩というのは、読んだときはピンとこなくても暗記をしておくと思わぬところで自分の状況が重なって面白くなることがある。飲んだくれのアントーノフ先生なら、毎晩酒に酔って幻を見ているかのような幻想的な描写もぴったりだ。私も少しは「かの女」に近づくために、黒いヴェールでも巻こうかな。あの詩が流行した二〇世紀初頭当時、ペテルブルグじゅうの娼婦たちが真似していたみたいに。

もちろん実際には黒いヴェールも巻かなかったし、私たちは会ったからといってなんということもない。先生は毎回律儀にも「あっ、しまった」という反応をし、ときには昔話や文学の話をしてくれたが、結局「また来週」と言って申しわけなさそうな顔で去っていく。でもどのみち私も授業の直後の放課後だし、少しのあいだ窓辺で本を読んでいるのも悪くない。それに、待ちながらまだ見ぬ文献リストに含まれるであろう本をあれこれ想像するのも楽しかった。

とはいえ、待っているだけでは物足りない。あるとき、私はある短編を持っていった。授業で「ちいさな人間」の形象の話が出たときだ。「ちいさな人間」というのは、ゴーゴリの『外套』に登場する主人公の小役人に代表される人物像だ。下級官吏など社会的に身分の高くない人間が、裕福な人からしてみればちっぽけなものごとに執着して一喜一憂したり翻弄されたりする様子が描かれるので、当時の社会問題や文化的背景が色濃く反映されている場合が多い。この人物像は世界的にもさまざまな広がりをみせた。先生はイタリア文学などの例を挙げて説明していた。芥川龍之介が『芋粥』という短編で『外套』を模倣しつつ「ちいさな人間」を描いているのは日本では有名な話なので私は知っていたが、授業には登場しなかった。ロシア語訳がないか調べてみると、タルコフスキー映画『ストーカー』の原作で有名なSF作家ストルガツキー兄弟の兄で日本文学者でもあったアルカージー・ストルガツキーによるロシア語訳がある。私はそれをコピーしていつもの場所に持っていき、「日本バージョンのちいさな人間です」と渡した。先生は「え?」と不思議そうに受けとったが、次の週、これはすごい、知らなかった、オチがまたいい、と興奮気味に喜んでいた。

そんなことがあってからますます、その約束はただ私がなにか質問したり、先生が日本の詩のことを訊いたりするだけの習慣になっていった。それでもまだ、先生は約束の本来の意味は忘れていないことを、申しわけなさそうに付け足すのだった。

どのくらい、あの奇妙な約束を繰り返しただろう。そうこうするうちに私は先生が授業で引用する本や自分で調べた本をたどり、読むべき本の見当はだいたいつくようになっていた。それでもすっかり習慣になってしまった「決まった時刻」の約束はなんだか面白くて、しばらくは続けていた。あれがなんだったのか、私はいまだにわからない。ひょっとするとほんとうに、真実は酒のなか、なのかもしれない。

18　オーリャの探した真実

いちばんすごい奇跡はいつも、望みがないときに起きるんだよ。
――『理不尽ゲーム』サーシャ・フィリペンコ

二年生になると学年の人数が半数近く減って、約八〇人が五〇人弱になる。留年組は見かけないので中退してしまうのだろうが、身近にはやめたという話もきかなかった（やめていくのは創作科の学生が多かった）。定期試験に受からなかったという理由が大半だが、ほかにも金銭的な事情だったり私的な事情だったり、やめる理由はいろいろある。そういえば、日本でも翻訳のある作家のヴィクトル・ペレーヴィン[*34]も文学大学に学んでいたが、在学中に作家として有名になりやめてしまった人である。ともかく、一年のときは全員把握

*34――一九六二〜。モスクワ生まれの作家。ソ連崩壊期にデビューし人気作家となる。邦訳も多数。

しきれなかった同級生の顔と名前がほぼわかるようになり、さらに少ない上級生も顔を認識できるようになる。入ってきたばかりの新入生は、八〇人のかたまりに見えてしまうけれど。

マーシャ以外の学生からもよく声をかけられるようになった。「ねえ、ほんとに日本から来たの?」と話しかけられることもあれば、「食堂一緒に行こうよ」と誘われることもある。とりわけ創作科の学生は興味津々で私に近寄ってくる。なんせ小説家の卵たちだ。学年でただひとりの(旧ソ連圏以外からの)外国人、しかもほとんどの学生にとって縁もゆかりもない遠い国から来たのだから好奇心を刺激したのだろう。接しかたはいろいろだった。ちょっとした珍しい生き物を見るような感じで近寄ってくる子もいれば、創作科のゼミに誘ってくれる子もいる。

私に強烈な印象を焼きつけたのが、ベラルーシのバブルイスクから来たオーリャという女の子だ。ボブカットにした黒い髪にはっきりとした目鼻立ちのオーリャは、なんというか「整然とした」とでもいうべき顔つきで、薄緑の大きな目でまっすぐに人を見つめるので、私はどぎまぎしてまともに話ができなかった。自己主張が強く自信家に見えたせいもあったかもしれない。オーリャも寮に住んでいた。部屋に案内されると、同じ寮とは思えないほど粋なコーディネートがなされていて、茣蓙(ござ)のようなものを敷いて床に直接座り、

「アジア風にしてみたの」と言う。部屋を見回すと、角には行燈のようなものまである。オーリャはあれこれと私に質問し、私はまるで尋問を受けているかのようにぎこちなく答えた。

それからしばらく経ったある休日に、オーリャは書いたばかりの小説を私の部屋まで持ってきてくれた。ちょうどマーシャのいないときだった。一年生のころ、創作科の学生たちは自己紹介がわりのような感じで自分を主人公とした一人称の小説をよく書いていたが、オーリャの小説もその類のもののようだった。私は軽い気持ちで読みはじめたが、すぐに(これはまずい)と思った。小説がまずいのではなく、読んでいる自分の心が心配になったのである。

まず、赤裸々すぎる。オーリャを思わせる一人称の主人公が、大学入学を機に田舎からモスクワへ出てきてさまざまな学生に出会うのだが、ほかの学生たちと自分の価値観のどこが違うのかをとにかく正直に書き連ねていく。あまりにも率直なので、すべての登場人物の向こうに同級生たちの顔が浮かぶ。浮かぶたびにドキドキしてしまう。「ああ、そんなふうに思っていたのか」と思うと、特に仲のいい同級生の話ではなくともひやりとする。とりわけ、「故郷に恋人がいるのに大学で出会った青年にも惹かれて自己嫌悪に陥った」くだりを読んだとき、その青年が誰を指しているかわかった瞬間、寿命が縮まる思いがした。他人事といえばそれまでだが、どうしても他人事とは思えない家族のような感覚が、二年生になった私たちには生まれていた。

それに加えて、迷いなく書き連ねられる主張の強さが怖かった。信仰心の強い家庭で育ち、常にすべてを「神を通じて」知れと教育されたこと。モスクワにきて、あまり信仰心のない人がいて驚いていること。「祖国」というものの大切さ。ずっとつま先立ちでファルセットで叫び続けるような文章が息苦しくて、どうしてこれを私に読んでほしかったのだろうと思うと、続きをめくるのが怖くなった。

読み進めると、最後の最後で恐れていたことが起きてしまった。私が登場したのだ――「日本人の女の子、ユリ。彼女の名前を漢字で書くと、『祖国がある』という意味になる。なんとすばらしい名前だろうか」……私は泣きそうになった。そんなこと言ってない。いや、確かに名前の漢字の意味は訊かれたし、答えもした――「有」は有る。「里」はふるさと。ところがロシア語では「故郷」という言葉は、頭文字を大文字にすると「祖国」という意味になる。尋問に答えるようにへどもどとオーリャの質問に答えていた私は、きちんと説明していなかったのだ。

説明しなければいけなかったのは、こういうことだ。昔、親に自分の名前の由来を訊ねると、父は「なんかね、お母さんと一緒に、かおりちゃんとか別の名前をいろいろ考えてたんだけど、生まれてきた赤ん坊の顔を見たとたんに、この子は『ユリ』だ、ってピンときたんだよ」と、よくわからない答えが返ってきた。「じゃあどうして『里が有る』なの、うちは引っ越しもけっこうして、ふるさとなんてどこにあるかよくわからないのに」と訊くと、「そりゃあ、住んだところがふるさとになるんだよ」と、これまたてきとうな答えが返ってきた。子供だった当時はよくわからないと思ったし、なんならかおりちゃんのほうがかわいかったのに、とさえ思った。でもロシアにいるうちに自分の名前もその解釈も好きになっていた。ユリという名前はロシアでは一瞬で覚えてもらえる。巨匠にとってはカザコフの思い出にもつながったし、ほかの年配の先生から「ご両親はユーリー・ガガーリンに憧れてあなたにユリとつけたの?」と訊かれたこともある。それにマーシャといると、ほんとうに「住んだところがふるさとになる」んだな、と実感していたところだった。だから、だめなのだ。「祖国がある」ではぜったいにだめなのだ。

気がつくとオーリャが部屋をノックして顔をのぞかせ、「読んだ?」と笑いかけている。ずいぶん時間が経っていたらしい。私は不意にスープを火にかけていたことを思い出し、キッチンに走った。「どうしたのよ」とオーリャもついてくる。鍋は黒こげになっていた。「夢中になっちゃって」と言うと、オーリャは「ごめん……」と心底すまなそうに謝った。とっさに、「違う違う、褒めてるの、時間を忘れるくらい熱中してたんだから」と答える。

嘘ではない。ほんとうにすっかり鍋のことを忘れるほど、オーリャの小説に衝撃を受けていた。

感想を聞きたいというオーリャに紅茶を淹れていると、オーリャは机の上にあったニーチェに目をとめて、「ユリ、これ読めるの？」と訊いた。哲学の課題図書のひとつである。ロシア語で読めるのかと訊いているのかと思い「そりゃまあ……」と答えたが、オーリャの言っているのはそういうことではなかった。質問は「いままでにも読んだことあるの？」「嫌じゃないの？」と続く。信仰の話をしているのだ。「私は、初めて読んだとき受けつけなくて。吐いちゃった」と言うオーリャを、私は初めてまじまじと見つめた。あいかわらずの大きな目が、ニーチェなどというおぞましいものを読まなければいけないかわいそうな私を気遣うように見ている。

神は死んだ。その字面だけで吐いてしまうとは、どういうことだろう。それじゃあ哲学史の入口にも立てないじゃないか。でも、「初めて読んだとき」ってことはずいぶん昔の話をしているのか。だけどオーリャの「言葉」に対する捉えかたは、私やマーシャとは根本的に違うのかもしれない。いまここで小説の感想を述べたりなにかを説明したりしても、打ち解け合うことなどできないのではないか。私は怖気づいた。そして、代わりに「オーリャはどんな小説家になりたいの？」と訊ねた。「……真実が書きたい」とオーリャは答えた。「作風とかそういうのじゃなく、行動そのものみたいな小説が書きたいの。いまはそういうときだと思うし、私たちは真実を書かなきゃいけないと思ってる」と。その言いようにはなにか有無を言わさぬ気迫があった。それならそれでいいのかもしれない。オーリャの息もつけないような小説のリズムははっきりと伝わってきた。私の名前の意味が曲解されているのも、オーリャにとってその必要があったからなのかもしれない。

それからもオーリャとは話したし、二人で植物園へ出かけたことも、ベラルーシ語の歌をうたってくれたこともあった。ベラルーシに帰郷して戻ってくると、いつもハルヴァというひまわりなどの種を甘く固めたお菓子をお土産にくれた。ハルヴァはモスクワでも売っているが、モスクワで売っているハルヴァよりずっとおいしかった。夏になると路上に出現するスイカの露店で何度もスイカを買ってきてくれて、マーシャと三人でまるごと食べた。通ううちにスイカ売りのおじさんがオーリャに恋をしてしまい、どうしても代金を受け取ろうとしないので無理やりお金を押しつけてきたという話を聞かせてくれて、三人で笑った。確かにオーリャは誰から見ても魅力的だ。けれどもオーリャの探す「真実」は、なぜだかいつも私を恐怖させた。

オーリャとは卒業したときに連絡先を交わしそびれて以来疎遠になっており、どうしているのか気になっていたが、二〇二〇年のある日、フェイスブックをひらくとオーリャからの友達申請が届いていた。サーシャ・フィリペンコの小説を訳していた際に私がフィリペンコとつながり、フィリペンコが私の投稿に反応したことで、オーリャは私を見つけてくれたのだ。そういえばフィリペンコとオーリャは同じ一九八四年生まれ、ベラルーシ出身だ。オーリャのアイコンは、私の訳書『理不尽ゲーム』の表紙とおそろいの、白赤白のベラルーシ民主化運動の旗の色で彩られていた。ベラルーシ界隈は狭い。

私はフィリペンコを訳しはじめた二〇二〇年の春ごろからベラルーシの現状と歴史を交互に調べ、まさに『理不尽ゲーム』そのものの現実をつきつけられていた。この小説は一九九九年のミンスク地下鉄での群衆事故から二〇一〇年の大統領選後のデモまでのベラルーシを描いた作品だが、主人公の祖母を通してそれ以前のベラルーシが歩んできた歴史も垣間見える。

私がオーリャと仲良くなったのは二〇〇四年から二〇〇八年だから、この小説でいえばちょうど主人公のツィスクが昏睡状態にあった時期に重なる（ちなみにまったくの偶然だが、フィリペンコ自身はこの時期、奇遇にもかつて私がユーリャと住んでいたペテルブルグ大学の一八階建ての寮に住んでいたらしい）。『理不尽ゲーム』における主人公ツィスクの「昏睡」は、独裁国家が社会そのものを「昏睡状態」に陥れているという比喩でもある。

昏睡状態に陥ってしまった祖国。真実を知らされない国民。周囲から緩衝地帯としかみられていない国家。ただひとつ知っているお祈りを泣きながらとなえることしかできない女の子。せっかく昏睡から覚めてたちあがろうとしても、瞬く間に押さえ込まれ叩かれてまた眠らされる人々。行き詰まり、あらゆる行動ができなくなる若者たち。

いまならわかる。オーリャがどうして「行動」にこだわったのか、どうして私が怖くなるような「真実」ばかりを探していたのか。「祖国」があるか否かを重視したのか。息つくまもなく叫ぶような小説を書き続けていたのか。

ベラルーシはこの先どうなるのだろう。二〇二一年四月、フィリペンコはNHKBSで放送された「国際報道二〇二一」のインタビューに答え、「ベラルーシの人々は権力によってまたもやあの手この手で昏睡状態にさせられようとしている」と語った。「奇跡」は起こせるのか——苦しい状態が続くからこそ、言葉にしなければならないことがある。ふたたび手を伸ばしてくれたオーリャとの対話は、まだはじまったばかりだ。

19 恋心の育ちかた

私のこの小説全体が、砂糖の欠片(かけら)のようなものであればいい。
少なくとも私にとっては、甘やかな書き心地だった！
——『ソーネチカ物語』マリーナ・ツヴェターエワ

マーシャが恋をした。人が大人になって初めて抱く真剣な感情というものがあるなら、あれはそういう類のものだったのだろう。相手は同じ学年の批評科に通うジーマという大柄な青年で、さまざまな文学サークルなどに顔を出しているらしく、私も顔は知っていたが話したことはなかった。ジーマも寮に住んでいたが、はじめのうちはマーシャとは特別親しいというほどではなかったから、私とマーシャの関係も表面上はさほど変わったわけではなかった。ただ、それまではひっきりなしに私に話しかけ、私が本を読んでいれば必ず「なに読んでるの？」と覗き込み、なにもかも私の真似をして、もともと明るい栗色だった髪まで黒く染めてしまった（！）マーシャの心に、なにか別の大きな存在が入り込んだのは明らかだった。

否応なく、夏目漱石の『こころ』で「先生」が「私」に告げた言葉——「恋に上る楷段なんです。異性と抱き合う順序として、まず同性の私の所へ動いて来たのです」が思い出された。そうか、マーシャにとって私という存在は「私」にとっての「先生」のような、ほんとうの恋をする少し前の「楷段」だったのか……。そう思うと一抹の淋しさとともに妙な満足感があり、少し考えて、満足するのもおかしいか、と苦笑した。

文学大学のカリキュラムは歴史年代順に進む。一年次は語学も文学も古代や中世が中心で、ロシア文学史も一八世紀までを一年かけて学ぶ。マーシャはアンチオフ・カンテミール[*35]についてすばらしいレポートを書きあげていた。それにしても、年ごろの本好きの学生が学年じゅうで同時に同じ本を読むと、集団でその世界に浸っているかのような、かなり独特の空気が生まれる。一年次は中世から一八世紀までを体感しているようで、学生たちはみんな膨大な課題を抱え、写本をうつす修道士のような顔つきで生活している。ところが二年次になるとロシア文学史は一九世紀に入り、まずニコライ・カラムジン[*36]が、続いてカラムジンの亜流が、そしてプーシキンが登場し、私たちは恋だの愛だのいう小説を大量に読まされる。すると半年後にはあっちでもこっちでも恋人同士が誕生していて、なかなか壮観だ。

人が恋をするのは、恋愛小説を読んだからなのだ。

マーシャももちろん夢中で課題図書を読んだ。そのたびに激しく登場人物に感情移入をし、自分とジーマにあてはめてみる。プーシキンの『大尉の娘』に出てくるペーチャとマーシャのような関係と言ってみたり、ツルゲーネフの『父と子』に出てくるアルカージーとカーチャみたいだと言ってみたり。そうして毎回、小説と自分の細部の状況の重なりや感情の共通点を吟味しては、私に聞かせてくれるのだった。

マーシャとジーマはよく夕方、寮の階段の踊り場にある出窓に腰掛けて話していた。私に遠慮はしなくていいから部屋に連れてくればいいのにと言っても、あの場所がいいのだと言う。まあ、踊り場もロマンチックと言えなくもないか。常にわいわい学生が行き交ってはいるが、ギターの音が響いてくるし、薄暗い感じがデート向きといえばデート向きなのか。

二人の関係は、しかしなかなか進展しなかった。ジーマはマーシャを好いているようなことは言うし、ときにはどこかへ連れ出したりもする。ほかに仲の良い女子学生もいないようだし、寮ではしょっちゅうマーシャと一緒にいる。部屋を訪ねてきてお茶を飲んでいくこともあった。けれどもその先に踏み込んでこようとしない。なにかあるのだろうとは私も思った。

だんだんと、マーシャは苦しそうになっていった。「私が素直になれないからいけない」

とか、「ほんとうに好きなのかどうかわからなくなってきた」とか言いながらも、やはり心は絶えず彼のもとにあるようで、次第に無口になり、毎日のようにしてくれた小説の吟味も途切れていた。そんな期間が何ヶ月も続いた。

あるときマーシャはジーマに誘われて文学関連のイベントへ行き、手をつないで帰ってきた。その日は久しぶりに嬉しそうで、私もほっとしていた。けれどもその直後だった。ジーマが、恋人の話をしたのは。正確には話をしたのでさえない。マーシャに向かって、「もし俺に、地元に残してきた彼女がいたらどうする?」と言ったのだ。どうする、じゃない。ふざけている。いまだにどうかと思う。

その夜も次の夜も、眠れないと言うマーシャと私はひたすら話をした。子供のころのことも大学のことも、くだらないことも大切なことも話し、もう眠いのはわかっていても眠くないねと言い合い、自分たちがなにを話しているのかわからなくなるまで話し続けた。

＊35―一七〇八～四四。ロシアの啓蒙主義の風刺詩人。ロシア音節詩の代表的存在でもある。
＊36―一七六六～一八二六。作家、歴史家。近代ロシア語の発展に寄与。貴族の青年に騙されて身を投げる娘を描く『哀れなリーザ』(一七九二)はそれまでにない平易な文体で書かれ、現代ロシア語の知識で読める最初期の文学作品として知られる。発表当時たいへんな反響を呼び、『哀れなマーシャ』など多くの模倣作品が書かれた。

ふと会話がとぎれたとき、マーシャは私をじっと見ていたかと思うと真剣な顔で唐突に「そういえばユリみたいな子が、前に見た日本のアニメに出てきた」と言った。『千と千尋の神隠し』の千尋のことだった。歌は日本語で流れていたけれど印象に残っているというので、私は『いつも何度でも』の歌詞を露訳して意味を教え、一緒にうたった。翻訳してみるとその内容はロシア文学でおなじみの情景だった――特に「繰り返すあやまちのそのたび、ひとはただ青い空の青さを知る」というのは、トルストイの『戦争と平和』で、戦場で倒れたアンドレイ・ボルコンスキーが青い空を眺めて自らの過ちを悟る、あの名場面そのものじゃないか。私たちは「きっと世界中の人がみんな、そういう体験をしてきたのね」と、しみじみと語り合った。

翌朝、「心の均衡をとりもどせるなら、それでいいんだと思う」と言ったマーシャの顔には、ようやくほのかな明るさが戻っていた。

いちど芽吹いた草木にあてられていた光があたらなくなれば、芽はほかの光を求める。マーシャはそれからも恋をした。けれどもジーマのときとは違い、ぐんと行動的になった。休暇中にブックカフェのバイトをしていて知り合った人とつきあいだしたと言い、その恋人がくれたプレゼントを見せてくれたのだが、私はぎょっとした。それは、片方の羽がとれた黒い蝶の標本だった。わずか二週間後、その人は蒸発した。マーシャは少しのあいだ落ち込んでいたが、じきにたちなおった。しばらくして一五歳くらい年上の、バイクが趣味の人とつきあいはじめた。この人とはわりあい長く続いた。私も一度、マーシャと一緒にその人に郊外へ連れていってもらった。「いままでバイクにしか興味がなかったのに、マーシャのおかげでプーシキンを読む喜びを知ったんだ」と言っていて、年上ではあるけれど謙虚な人のようにも見えた。けれどもあるとき二人は車で出かけた先でけんかになり、その人はマーシャに「車を降りろ」と言い、彼女を降ろすとそのまま走り去ってしまった。マーシャはこの件ですっかり気持ちが冷めてしまい、相手が必死で謝ろうと引きとめようと受けつけずにすっぱりと別れた。その次につきあったのは夏のフランス短期留学の語学キャンプで知り合ったフランス人の青年で、全身にいろんなタトゥーが入っていて、それぞれがこれまでつきあってきた相手に由来するものらしかった。マーシャと彼はビデオ通話で連絡をとりあっていて、私も何度かパソコンのモニター越しに話をした。アウトドアが好きで明るくユーモアがあり優しそうな青年で、なによりマーシャをとても好いているのがわかった。ところがその好意が勢い余ってか、あるとき彼は突然なんの予告もなく腕に大きな双頭の鷲のタトゥーを入れた——ロシア連邦の国章である。サプライズのつもりだったというが、マーシャが喜ぶはずはない。「よりによって双頭の鷲なんて、そんな国粋主義者みたいな……」と涙目で落ち込んでいた。けれどもマーシャは卒業後しばらくして彼と結婚しフランスへ渡った。しかし数年と経たぬうちに夫が友達数人とどこかへ出かけては何日も帰ってこない日々が続くようになり、マーシャはひとりでロシア語児童劇団を作って子供たちにロシア語を教えたり、フランス現代文学をロシア語に訳して出版したりしながら過ごしていたが、しばらくして離婚した。だからといって心配などよけいなお世話なのは、マーシャと話せばすぐにわかる――彼女のなかには未来への希望が尽きずに湧いていて、すぐにフランスの大学院に入った。

文学大学時代にマーシャが幾度も読んでいた(ときには好きな箇所を朗読して聞かせてくれた)小説がある――マリーナ・ツヴェターエワの『ソーネチカ物語』(一九三七)だ。ドミートリー・ブィコフが「世界文学における五大散文」のひとつとも称賛するこの中編は、きわめてロマンチックな作品である。一九一八年から一九二〇年代に演劇関係の知人が増えた際の交友関係をもとにした回想という形をとっているものの、一般的な「回想録」とはだいぶ異なる。ソフィヤ(愛称はソーネチカ)・ゴリデイ、ユーリー・ザワツキー、ウラジーミル・アレクセーエフら実在の俳優たちが登場して、異性も同性もひっくるめたさまざまなかたちの「愛」を、読んでいるだけで体が熱くなるような叙述で語りあげる。その根幹から伝わってくるのは、情熱というもののありようだ――「地球儀を考えだした人ってすごいよね（きっと白い鬚を長くのばしたおじいさんだわ……）、だってそのおかげで、この両手で地球をまるごと抱きしめられるんだから、大好きな人たちをみんないちどに！」「マリーナ、あなたはこの先もずーっと私のことが好きよ。私がいい子だからじゃない。ただあなたが私を好きじゃなくなることなんてできないから」「どうして私はこんなに、くだらない詩が好きなのかしら。〔…〕世界中のすべての詩は私について書いてあるの、マリーナ、私のために、マリーナ、私に向けて書かれているの！」ソーネチカはそう言って、当時流行していた児童映画の歌をうたいだす。ツヴェターエワはソーネチカを砂糖に喩える。砂糖はなくても死なないけれど、なければ憂鬱でたまらない。ソーネチカについて書いたこの小説そのものが、そんな砂糖の欠片のようであればいい——と。

マーシャが飲んでいた、飴玉みたいに甘い紅茶。どんなにくだらない詩も自分のことのように読んだ日々。『ソーネチカ物語』を読み返すと、マリーナにもソーネチカにもマーシャが重なる。そのくらい、マーシャはこの作品を吸収して生きていた。

数年前、マーシャは「すごく好きな人に出会った」と報告してくれた。やはりフランスの人だった。けれどもこれまでのように詳細にいきさつを説明したり相手の特徴を話したりはせず、ただ「大学時代みたいな気持ち」とだけ言った。その言葉に私はちょっと驚き、たのに。

どうして驚いたのだろうと考え、いまだにジーマを許せずにいた自分に気づいた。ばかみたいだ。マーシャ自身はとっくに、あの記憶をしまうべき場所を心のどこかに見つけていたのに。

恋心には、きっといろいろな育ちかたがあるのだ。あのとき芽吹いたマーシャの恋心は相手を変えながらも、彼女のなかで調和のとれた生育をしていたのだろう。そしていま、ほんとうに大切な人ができたんだと思うと嬉しかった。マーシャはやっぱり、飴玉みたいだ。思い出すだけでほんのり甘い。

マーシャはその人と再婚して、二〇一八年に女の子が生まれた。名前はソフィヤ。マーシャは、このソーネチカとともに生きていくのだ。私はフランス宛に小包でトトロの形をした新生児用の布おもちゃを送った。赤ちゃんが持つのにちょうどいい、ちいさな穴があいている。しばらくして、ビデオメッセージで送られてきたソーネチカは、トトロをぶんぶん振り回して微笑んでいた。

20　ギリャイおじさんのモスクワ

「これは、レーピンではない。И.レーピン」

――『モスクワとモスクワっ子たち』ウラジーミル・ギリャロフスキー

私はといえばあいかわらず砂糖なしの紅茶を飲み、あいかわらず授業に夢中だった。二年生にはなったが、文学研究入門の授業だけはもう一度聴きたかったので、あえて一年生の授業にもぐることにした。「よし、これで講義ノートを完璧にできる。いわば増補改訂版だぞ」と、私はほくそ笑んだ。授業がはじまる前の時間、最前列に座って珍しく日本語の文庫本（一時帰国したときに持ってきた）をめくっていると、隣の席に座った子に覗き込まれた。「うわあ、それ何語よ?!」と訊くので「日本語」と答えると、「なんで日本語なんか知ってんの?!」と返ってくる。顔をあげると、金髪の長い髪をした一年生の女の子が、あたかも私がかっこつけのために読めもしない日本語の本を開いているかのような、疑惑の眼差しでこちらを見ている。私は笑って「日本から来たから」と答えたが、その子は信じたのか信じていないのかよくわからない顔で「あー、へえ……？」と眉をへの字にして口ごもり、そこで先生が入ってきた。私はそんなに一年生の教室になじんでいたのか、と思うと愉快だった。

アントーノフ先生はやっぱり年齢不詳で俳優じみている。その年の一年生もあっというまに授業に魅了されていくのが、教室の空気から伝わってきた。どうだ先生の授業はすごいだろう、と私は自分のことのように誇らしげな気持ちになりつつ、講義ノートの不完全な部分を探して埋め、授業で引用された作品のうち去年は読みきれなかった小説や詩や理論書を片っ端から図書館で探した。同じ講義なのでほとんど同じ内容だが、たまに例の「モスクワ大学時代に寮で一緒に住んでいた日本人留学生」の話が出てきたり、世界の詩のジャンルの話で日本の短歌・俳句を紹介した際に「一杯の酒」が登場する俳句を詠んだり（当然、飲んだくれ先生を愛する一年生は大盛りあがりだった）するようになっていた。去年はそんな話、してなかったのに。巨匠がカザコフを思い出したのと同じように、先生もなにかを思い出したのかもしれないと思うと、そのたびにふっと心が和んだ。

大学にも図書館はあったが、揃っているのは各授業の課題図書が中心だった。アントーノフ先生が引用する資料はもっとマニアックで大学図書館にはない本も多い。モスクワでいちばん大きなレーニン図書館（ソ連崩壊後にロシア国立図書館と改名されていたが、「レーニンカ」

という愛称が言いやすいのでみんなそう呼び続けていた）に行けばあるだろうが、レーニン図書館は日本でいえば永田町の国会図書館のようなもので、大きすぎて疲れるうえに昔の新聞・雑誌を閲覧するにはモスクワの北のほうの地区にある別館まで行かなければならない。私はあるとき中庭のベンチに座っていた先生に声をかけ、授業で言及していた図書を探しているのだけれど、どこへ行けばいいかと訊いた。先生は私が差し出したメモを見てふっと笑い、「こりゃあうちの大学にはないね、歴史図書館に行きなさい。地下鉄のキタイゴロド駅から坂をのぼったところにある。この手の本なら一五分で出てくるから」と教えてくれた。

大学から地下鉄で二駅のところにある歴史図書館は、すばらしい図書館だった。煉瓦造りの古い建物はレーニン図書館よりはだいぶちいさいが、一般図書も新聞も雑誌も充分にあり、申請からほんとうに一五分で出てくる。レーニン図書館ではこうはいかない。ロシアの大型図書館は基本的にすべて閉架である。現在は全体的に目録の電子化が進んでいるが、この当時はまだどこもひきだしに入った紙のカードをひたすらめくり、目当ての資料名と請求記号を探して受付に申請して出てくるのを待つ方式であった。歴史図書館も同じシステムだったが、レーニン図書館に比べて利用者もさほど多くなく、小ぢんまりとした読書室や食堂には何十年も昔から変わらないような雰囲気が残されていて、驚くほど居心地がいい。こんなにいい場所があったなんて、と私はすぐに気に入って、毎日のように歴史図書館に通うようになった。大学と寮に続く「第三の居場所」を発見した気分だった。

通いはじめてわずか数日後、目当ての資料目録を探しだしてふと目をあげると、アントーノフ先生の姿があり、目が合った。私が小声で「ありがとうございます」とだけ言うと、先生はうんうんとうなずいた。それからの日々もこの図書館でしょっちゅう先生に出くわした。どうやら先生もかなりの常連らしい。とりわけ大学のない土曜日には一日じゅう図書館にいて、いつも何十年も前の新聞や雑誌を請求しては黙々とめくっている。もともと大学も寮も同じなのだからよく見かけてはいたが、第三の居場所まで同じとなれば、家族のように顔を合わせるようになる。以前のように「決まった時刻」に廊下で会う約束などしなくても会えるので、自然とあの習慣はなくなった。約束の文献リストはもらえずじまいだったが、もはや自分の興味の対象も移っていたし、そんなことはどうでもよくなっていた。私と先生は読書室で会えば会釈をし、クロークや食堂などで顔を合わせればなにげない会話をし、質問があれば質問をした。いつでも先生に質問できるなんてラッキーである。それに、ここにいるとまるで別荘地にでもいるみたいにのびのびと好きな研究を進めている先生の姿は、見かけるだけでも励みになった。

私はマーシャにも歴史図書館を勧めた——熱を込めて、あの図書館がいかに素晴らしい場所かを語ったのだが、このころにはもう少しずつ私たちの興味の対象は違ってきていた。歴史図書館には基本的にロシア語の文献しかない。マーシャはフランス語に全力をあげていたので、外国語文献図書館のフランスセンターに通っていた。わかってはいても、ちょっとさみしい。

だから私はひとりで歴史図書館に通い続けた。図書館で大学の友人と顔を合わせることはなかった。翻訳科の子はやはりマーシャと同じで外国語文献図書館に通うし、創作科の子はあまり図書館には通わない。

地下鉄の駅から図書館へ続く坂道が好きだった。木々の緑がのどかで、ときには市がたち、木漏れ日の下で商人たちが蜂蜜や砂糖菓子を売っている。一年生のときは学校の課題をこなすのに精一杯でほとんど大学と寮にしかいなかったが、二年になると少しはモスクワの街を歩いてみるようになった。アントーノフ先生がよく話してくれた作品のひとつ——ウラジーミル・ギリャロフスキー[*37]の『モスクワとモスクワっ子たち[*38]』を読んだせいも

*37——一八五五～一九三五。作家、記者。体を張ってそれまで一般に知られていなかったような貧民街の日常を取材し、数々の問題点を指摘した。
*38——邦訳は『帝政末期のモスクワ』村手義治訳、中公文庫、一九九〇。

ある。この小説は一九世紀末から二〇世紀初頭のモスクワを描いた作品で、章ごとにモスクワのそれぞれの地域とそこに暮らしていた人々が語られる。帝政時代といっても、プーシキンやトルストイの描いたモスクワとはひとあじ違う。時代の差だけではない。すべて「ギリャイおじさん」と呼ばれ人々に親しまれていた作者ギリャロフスキーが一九一二年から一九三五年に死ぬまで自分の足で歩き続けて集めたルポルタージュで、数え切れないほどの浮浪者や日雇い労働者たちが群像劇のように次から次へと登場する。小汚い街角で「だまさずには売るもんか」をモットーにぼったくりを生業にしている商人、独自のルートから入手した偽物ばかりを売る骨董屋。ヒトロフカという迷路のような貧困街では、孤児は赤ん坊のうちに貧しい女に売られる。女はその赤ん坊を抱いて「哀れな母親におめぐみを」と施しを求めるためだけに子供を買いとる。三歳にもなれば子供は自分で施しをねだるようになるし、わずか一〇歳やそこらの少女が酒を飲んで身売りをしていることも珍しくない。

そうかと思えばこんな話も登場する――スハレフカ市場の骨董品売りの店に「И.レーピン」というサインが入った絵画が売られていた。イリヤ・レーピンは、いわずと知れたロシア移動派を代表する大家である。絵には一〇ルーブルの値札がついている。ある貴族の婦人がその絵をじっと見つめて、「もし偽物だったらお返ししに来ますよ。今日知り合いのところにご本人がいらっしゃるから」と忠告して買っていった。婦人がレーピン本人にその絵を見せると、レーピンはおおいに笑って、「これは、レーピンではない。И．レーピン」とサインした。そんなわけでふたたび同じ市場に舞い戻ってきた偽物の絵は、本物のレーピンのユニークなサインのおかげで、こんどは一〇〇ルーブルで売れた。

この本にはほかにも、当時ピョートル一世の文字改革以前の古書が手に入った古書店、古着市、がらくた市といった雑多なモスクワが所狭し……ならぬ、紙幅狭しと詰め込まれている。ギリャイおじさんの描いたモスクワを思い浮かべて街を歩くのは楽しい。

ギリャロフスキーは一九三五年、スターリン政権下にソ連が国をあげて「新しいモスクワ」の建設計画を実行しはじめた時代に亡くなった。彼は一九三四年に書いた改訂版のための序文でそのことについて触れ、むろんそれを公に批判することなどできないなかで、「だが、ほぼ千年にもわたって少しずつ地域ごとに、建設する者が思い思いの場所に思い思いの建物を建てては発展してきた古いモスクワのうえに新しいモスクワを建てるとなると、特殊な未曾有の力が必要になるだろう……」と記している。この都市計画はアレクサンドル・メドヴェトキン監督の一九三八年の映画『新しいモスクワ』を見てもわかるように、建築物をまるごと引きずって移動させもする大規模なもので、ギリャロフスキーの描いた街並みはことごとく壊されていく。一九世紀初頭から続いていたスハレフカ市場も、ピョートル一世の時代に建てられたスハレフスカヤ塔も、キタイゴロドの壁も。街が壊れれば、そこにしか生き場所のないような貧しい人が犠牲となる。一九六〇年代から現代までに再建された建築物もあるが、保存と再建は根本的に違う。新たに膨大な資源と労力がかかり、しわ寄せがいくのはまたもや貧困層だ。ギリャイおじさんを思うと無念でもあるし、だからこそ書き留めてくれてよかったとも思う。

だが現代のロシアではギリャロフスキーの評価はかんばしくない。なかには熱烈なファンもいるが、「汚らしいモスクワが描かれている」「帝政時代なら教会の金の丸屋根が輝く壮麗なモスクワを描いてほしかった」「モスクワに対する誹謗中傷だ」と批判する声もある。このような世論は現代モスクワの再建とも密接な関係にある。とりわけ二〇一〇年にソビャーニンが市長に就任して以降、モスクワは見る間に変わっていった。チェーン店が増えたとか建物が改装されたとか、そういった変化だけではない。ロシアにはソ連時代からキオスクとかラリョークとか呼ばれるちいさな売店が街角にあったが、ソ連崩壊後の物流の氾濫とともにありとあらゆる売店が無数に増え、新聞や雑誌や図書を売る店、惣菜パンやジュースを売る軽食の売店にはじまり、化粧品や日用品を売る売店、煙草屋、CD屋、夏になると大量のスイカを並べて売る臨時スイカ店やメロン店などさまざまな売店が存在していた。なかにはがらくた屋としか言いようのない店もあり、パナソニーと書かれたラジカセや欠けていないりんごマークのついたパソコン型のおもちゃなどが売られていた。こうした売店は法に触れるような不正品を売っていることもある一方で、他方では失業者や障害者、移民といった貧困層の働き口になっている面もあった。

ところが二〇一六年、すべての路上の売店があるとき一夜にして一斉に破壊された。「街の景観美化」を目指す市長は古くて色もまちまちの売店を「小汚い」と目の敵にし、撤去要請という生ぬるい手段に飽きると、「駆除!」とでもいわんばかりの強硬さで潰しにかかったのである。違法に建てられた売店も多いと主張していたが、実際には違法だろうが合法だろうがすべての売店が根こそぎブルドーザーで破壊されていった。その後、街にはちらほらと、建物や看板の色やフォントまで統一された市公認の売店がのっぺりと建ち、認可された商品だけが整然と並ぶようになった。ときを同じくしてモスクワでは多くの出版社や『旗』誌など老舗の文芸雑誌の編集部がそれまで借りていたビルの賃料を何倍にも釣りあげられて軒並み立ち退きを余儀なくされ、それまでとは比べものにならないちいさな事務所に押し込められた。

モスクワじゅうの公園も整備され、季節やイベントの際には全体主義感の強い大々的な飾りつけがなされる。モスクワシティと呼ばれる巨額の資金が投入された高層ビル群も次々に完成し、高さ三七四メートルものフェデレーション・タワー(二〇一六年完成)をはじめとした三〇〇メートルクラスのビルが建ち並んでいる。

一九三〇年代の都市改革を目のあたりにしたギリャイおじさんの気持ちを思いながら、どうにもよそよそしいモスクワを眺める。もしも数十年前のモスクワが現在のモスクワを見たら、おおいに笑って「これは、モスクワではない」とサインしたかもしれない。そうしたら現代のモスクワには、また新たな付加価値が生まれるだろうか。偽物のレーピンの絵みたいに。

21 権威と抵抗と復活と……

正教徒が入ってきて言った――「これからは私が上にたつ」
――ヨシフ・ブロツキー

ロシアでは毎年春になると、今年の復活大祭（パスハ）はいつになるかとか（四月末から五月の初めだが年によって異なる）、その直前の大斎（ポスト）の食事制限はするのかとかいう話で盛りあがる。西方教会におけるイースターに相当する、キリスト復活の祭事である。

ペテルブルグにいたころ、ユーリャとその友達のチャーシェンカに連れられて教会へ行ったことが何度かある。ロシアでは特にお墓参りなどではなくともお墓を散歩することがわりと普通にあって、ユーリャたちともただなんとなく近所のお墓を散歩して、お墓のなかにある教会に入った。ちょうど復活大祭のあとの時期だった。スモレンスクという墓地とそのちいさな教会は、ペテルブルグの守護者をまつっている――とユーリャは話した。守護者というのは、ペテルブルグのクセーニヤという女性聖愚者（ユロージヴァヤ）[*39]で、若くして夫を亡くしたことにより狂気に陥り、ふらふらと彷徨い歩くようになる。はじめは人々の笑いものになっていたが、この墓地が建設される際にはひとりで黙々とレンガを運び、そういった行為によって次第に神に仕える者ではないかと噂され、ついには聖人とされるようになった。ユーリャはそんな話をしながら、「せっかくクセーニヤがレンガを運んでくれたのに、ずっと放置されててこんなにボロボロなのよ。修復してるみたいだけど、もうずっと止まってる」とため息をつく。当時のペテルブルグはあちこちが「修復中」で、足場は組んであるのにそのままさっぱり工事が進まないような場所がたくさんあった。どうやらここもそうらしい。けれども私は、そのボロボロでひとけのない墓地がなんだか好きだった。ユーリャは教会で細長いろうそくを何本か買って私にもくれ、火を灯して三人で献じると外に出た。そして「ほんとは復活大祭の前の夜にやるんだけど、やってみる?」といつものいたずらっぽい笑みを浮かべて、教会の周りを歩きはじめた。歩きながらユーリャは、「こうやって教会の周りを三回ぐるぐるまわるっていう習慣があるの」と説明した。ちいさな教会だったので、あっというまに三周できた。おもしろい習慣だな、と思った。

しかしモスクワで文学大学に入ると、そんなふうに無邪気に教会へ行くことはなくなった。大学のすぐ近くにも教会があったが、足を踏み入れたことはない。

マーシャの父親はソ連時代から中学校の英語教師をしていて、無宗教だった。マーシャ自身は信仰に興味を持ちつつも、育ちながら自然に身についていてはいないこともわかっていた。文学大学にはさまざまな思想を持つ学生が集まる。信仰心の強い家庭で育ったオーリャもまた周囲の学生との価値観の違いに悩んでいたが、ニーチェの「神は死んだ」という字面だけで吐いたという話を聞いた私だって、やはりかなりの衝撃を受けた。

ソ連時代にも正教徒はいたが、信仰はひっそりとするものだった。ところがソ連崩壊後に復権したロシア正教会は瞬く間に事実上の国教となり、ソ連時代の闇が暴かれていくのと同時に、まるで国家の黒幕が「無宗教」という名の悪の権化であるかのような風潮が強まっていく。おかしなことにその風潮は「ロシア以外の世界中の人々もなにかしらの宗教を持っているはずであり、信仰心を持った人が善で、持っていない人は悪である」といった漠然としたうえに極端な一般論につながり、それが広く浸透しているのだった。つまりは日本人であれば仏教徒でも神道の信者でも善い人だが、無宗教を名乗れば一斉に白い目で見られるような、そういう空気があった。旧ソ連圏のさまざまな共和国からきた子に対

＊39――ユロージヴィー（男性）、ユロージヴァヤ（女性）と呼ばれる聖愚者は、浮浪者のなりをして奇行をおこなう一方で、神聖で俗世の権力構造の外にある不思議な存在とされた。プーシキンの『ボリス・ゴドゥノフ』（一八二五）をはじめ聖愚者や聖愚者をふまえた人物が登場する文学作品も多い。

しても同じで、はじめは無宗教だと言っていた学生も、次第にそうは言わなくなる。一年次から二年次にかけて、私たちは頭が痛くなるほど「信仰」の話をした。信仰とはなにか。教会には行くべきなのか。創作科の学生が書く小説のなかにも正面から信仰をテーマとするものが多く見受けられた。誰かが「信仰」とか「信心」と口にすると、とたんに妙な緊張感が張りつめる。とりわけ正教とほかのキリスト教の差異や、教会のありかたといった話になると、みんなが互いに育ちや考えの違いを感じて悩んだり嘆いたりするのだった。

先生たちの思想もまた千差万別だった。まず世代による差がある。ロシア語文体論で高名なアレクサンドル・ゴルシコフ先生は一九二三年生まれで当時すでに八〇歳を超えていたが、元気に教壇に立っていた。このゴルシコフ先生やフランス語のレーヴィチ巨匠といった二〇世紀を生き抜いた大御所世代は、ちょっとやそっとの社会思想の変化ではびくともしない安定感があり、信教に言及することはまずないが、文体論そのものや翻訳のありかたに、生きざまや思想がそのまま活きているのだった。しかしもう少し若い世代、第二次世界大戦前後の生まれになると、四〇代~五〇代のときにソ連崩壊を迎えている。文化人のあいだで宗教の話がさかんにされるようになりはじめたのはペレストロイカに先立ってもう少し前なので、人によっては段階的に社会思想のロシア正教化を受け入れ正教徒になっている。一九五〇年代以降の生まれであれば尚更、生きてきたいずれかの段階で自らの信教を深く考えざるをえない状況に面してきている。文学大学の先生ではないが、一九五二年生まれの日本文学者ヴィクトル・マズーリク先生には在学中何度かお会いして翻訳をみてもらったりしていたが、この先生は絵に描いたような敬虔な正教徒であった。あたたかく柔和な人柄でとてもいい先生だったが、ほかの先生と対話するなかで信仰の話が出てくると、人が変わったように真剣な口調になる。また、なかにはただ単にほぼ国教となった宗教をなかば自動的に、長いものに巻かれるようにして受け入れていた先生もいた。子供時代はピオネールで活躍し、大きくなったら熱心なマルクス主義者として党活動をし、ソ連崩壊とともに敬虔な正教徒になったという先生の噂も聞いた。宗教というものに意識的に距離を置いていたのは、プラトン以前の哲学を専門に研究していた哲学の教授アレクサンドル・ジミン先生と、文学を通じて思想研究にも詳しいアントーノフ先生だった。ところがそうした先生たちが授業で宗教の話に触れると、それを受けつけない学生がざわついたり、ときには席を立って出ていってしまったりもした。講義の最中に学生がいきなり席を立って出ていくなどという事例は、それ以外ではまず目にしなかった。あの学生たちにとっては大学の先生よりも上位の権威が存在するのだろう。現代ロシアにおける支配的思想の威力を見せつけられるかのような現象である。

あるとき私はいつものようにモスクワを歩きながら朗読CDを聴いていた。それは『詩人と権力』と題されたアンソロジーで、主に一九世紀から二〇世紀初頭まで――デカブリスト詩人やプーシキンから、アフマートワ、マンデリシタームまでの詩人らの、権力に抵抗する詩を連ねて朗読していく内容で、通して聴くと一二時間近くもある（正確にはCDではなくMP3のディスクで、当時のロシアではこういったディスクをそのまま入れて聴けるウォークマンが流行していた）。それを少しずつ聴き進め、ようやく収録リストの最後にきているエセーニンの詩を聴き終えたところで、奇妙な間があった。音はもう聞こえないのに、秒数は進んでいく。おかしいなと思いながらもしばらくそのままにしておくと、ヨシフ・ブロツキー[*40]の詩の朗読がはじまった。かつて日本でもロック歌手などがレコードやCDアルバムの最後に「隠しトラック」を入れるのが流行したが、そういうノリだろうか、と思いながら聴いていると、こんなフレーズが耳に飛び込んできた――「どこかの正教徒が入ってきて言った――『これからは私が上にたつ。私の心には火の鳥が宿り、皇帝を懐かしんでいる。〔…〕どうか十字を描かせてくれ、さもなくばおまえの面を殴ってやる』」――（なるほど、そういう仕掛けがあったのか）と、街を歩きながら私は目を丸くした。正教もスラヴ神話も皇帝も、ソ連末期から現代にかけてさかんに再評価がなされていったことがらである。権力に抗った詩人の古典的名作をひととおり朗読したあとの「隠しトラック」に入っていたブロツキーの詩は、あきらかに現代ロシアの支配的思想や特権階級に対する抵抗のメッセージとして挿入されたものだった。

これは一九八六年に書かれた詩だ。ブロツキー自身は、とりたてて反宗教の思想を持った詩人ではない。というより、若いころから世界のさまざまな思想、宗教、形而上学に興味を持ち、意識的に吸収した人だった。だからこそ、その後の正教の台頭をいちはやく感じとっていたのだろう。

宗教が権力と強く結びつけばつくほど、信仰そのものについて語るのは難しくなる。二年生の冬ごろには、以前のようにみんなが誰とでも信仰の話をすることはなくなっていた。二〇〇〇年に再建された世界の聖堂のうち三番目に高いというハリストス大聖堂をはじめ、モスクワでは次々に豪華な装飾の施された教会が建てられていく。この勢いはその後も止まらず、私がいた二〇〇〇年代のはじめにはまだそう多くはなかった正教の教会は、

*40——一九四〇~九六。詩人。アメリカに亡命、一九八七年にノーベル文学賞を受賞。日本では『大理石』『私人——ノーベル賞受賞講演』など沼野充義による優れた紹介がある。

二〇一〇年にはモスクワだけで八〇〇ほどになり、さらに二〇二〇年には一二〇〇以上にまで増えている。いまなら、あのときの私たちのように教会を探す必要はないのだろう――

当時のマーシャもすでに同級生との信仰の話に疲れ、大学ではその話を避けていた。けれどもその年の春、「ねえユリ、復活大祭の前の晩、教会に行ってみない?」と私を誘った。かつてペテルブルグでユーリャと教会の周りをぐるぐるまわった、あれである。あのときは昼間にその真似事をしただけだったが、その本番、すなわち深夜におこなわれる夜半課に行ってみようというのだ。しかし、私たちにはもちろん通っている教会などない。「いいけど、どうやって。どこの教会にいくの?」と訊くと、「どこだっていい。私いいこと思いついたの。夜になったら地下鉄の駅に行けば、ぜったい教会に行きそうな人が見つかるでしょ。ほら、格好でわかるような。そしたら、その人のあとをつければいいのよ」と言いだした。宗教行事というよりどうにも探偵じみているが、なかなか面白そうな名案である。マーシャの以前のルームメイトだったレーナ(彼女もやはり、興味はあるが行ったことがないという)を誘って、三人で出かけることにした。準備をしようと私たちの部屋に来たレーナの手の爪がマニキュアで真っ青に塗ってあるのを見て、マーシャが「レーナ、そんな爪で教会に行くつもり?」と咎めた。レーナは「えー、いいじゃないの。教会にマニキュア禁止って決まり、あったっけ」と、とりあわない。でもスカーフをかぶって行かなければいけないのだろうということは三人ともわかっていた。かぶるのはプラトークと呼ばれる、ロシアのおばあちゃんたちがよく頭に巻いている大きなスカーフ……というか、薄いウールのストールのようなもので、冬には防寒にも役立つ。私たちは花柄やら波模様やらありあわせのスカーフを頭に巻いて夜中を待ち、地下鉄へ向かった。春とはいえ四月五月のモスクワの最低気温は一桁で、五度くらいのことが多い。ちょっと寒いね、なんて言いながら駅に着くと、「いた！」とレーナが囁いた。見ると、真っ白いスカーフをかぶり長いスカートをはいた女性が静かに歩いている。身なり全体をみても、間違いない。テレビで見るような「教会でお祈りをする人」。あの人はこれから夜半課にいくのだ。私たちは顔を見合わせ、定期券ですばやく改札を抜けてエスカレーターの数段後ろに乗った。地下鉄では同じ車両に乗り込んでドア付近に立ち、その人が降りる駅を見逃さないようにちらちらと盗み見しながら待った。一駅、二駅と、地下鉄は中心地のほうへ向かっていく。ついにその人が立ちあがり、ドアへ向かう。私たちもその駅で降り、改札を出てあとをつけはじめた。あたりは暗かったが、白いスカーフは闇のなかでぼんやりと光る蛍のように私たちを誘導していく。白い蛍は途中で曲がって路地に入り、近道でもしているのか建物と建物のあいだのやけに狭い道を通り抜けていくが、私たちは見失うものかと必死で追いかけた。しばらく行くと、そう大きくはないがやけに荘厳な教会が見えた。「やった！」とマーシャがガッツポーズをする。辺りからもその教会に向かって人々が集まってくる。もうさっきの人を見失っても大丈夫だ。私たちは人々に続いて教会に入った。内部の装飾もやはり息をのむほど煌びやかで、たくさんのろうそくがそれを明るく照らしだしている。

ところが入ったばかりのところで、入口付近にいた二人の男に呼びとめられた。「出ていきなさい」と言われても私たちには状況が飲み込めずに戸惑っていると、もう一人が、「ここでは色のついたスカーフは禁止です」と続ける。見回すと確かにすべての人が真っ白なスカーフを纏っている。スカーフだけでなく身だしなみも全身ばっちり整っていて、なにやらドレスコードのようなものがあるらしい。ばつの悪い思いで、仕方なく入ったばかりの教会をあとにした。尾行には成功したものの夜半課には参加させてもらえず、私たちはしゅんとしていた。「ずいぶん厳しいのねえ」とレーナがぼやく。「復活大祭のときは特に厳しいのよ。そういう教会もあるって聞いたことがある」とマーシャが返す。「じゃあ運が悪かったんだね」「運っていうか、だってあの人目立ってたからね、いかにもって感じで」と私たちは言い合ったが、あきらめきれなかった。せっかくこんな時間に夜更かししてきたのに、本物の夜半課を知りたかったのに、マニキュアどころかスカーフが花柄だったくらいで門前払いだなんて。

引きかえそうとしたとき、「まだ見つかる」とマーシャが言いだした。「いまからでもぜったい、その辺を歩いてる人についていけばどっか別の教会があるはずよ」と。簡単にはへこたれないのがマーシャのいいところだ。「じゃあ次はもっとてきとうなスカーフの人を探そう」と決めて私たちは地下鉄の方角へ引きかえし、通りでそれらしき人を探した。いた。おばあさんがちいさな子供を連れている。柄つきのスカーフをするおばあさんは普段からいるが、こんな時間に子連れで出かけていくところを見ると、たぶん間違いない。ふたたび尾行開始である。はじめ二人がさきほどの教会と同じ方角へ向かうのでひやりとしたが、あの路地では曲がらなかったので、そのままあとを追った。するとまた教会があらわれた。集まってくる人々はさっきよりも多い。白くないスカーフの人がたくさんいるのを確かめ、こんどこそ、と中に入る。そのちいさな教会は人で溢れていた。さきほどの教会のように煌びやかではないが落ちつきのある暗めの空間で、子供の姿がちらほらある。ロシア正教の教会には椅子がない。ただ床があり壁があり天井があり燭台があるだけで、座るところがないのだ。だからこんな時間に連れてこられた子供たちは、兄弟がいればちょっかいを出しあったり、眠ければ床にぺたりと座りこんだりしている。私も眠かった（私はマーシャと話し込まない限りはたいてい一〇時には寝て朝早くに起きていた）。眠たい頭でろうそくの灯を眺めていると、新潟の景色が浮かんだ――母の故郷は新潟の田んぼばかりのところにあり、家の前には神社なのかお宮なのか寄合所なのかわからない木造の建物があり、なにかの季節行事のときには村の人が集まる。そういうちいさなお宮かなにかにももちろん椅子はなく、子供たちは寝転んだりふざけたりする。お盆になるとお墓参りに行くために、ちょうちんにろうそくを灯して浴衣を着せられてお墓に出かける。浴衣を着られるのもちょうちんを持てるのも嬉しくて、私はお盆が好きだった。そんなことを思い出しながら私はモスクワの教会のろうそくを灯し、マーシャたちと一緒に人の流れに乗ってゆっくりと教会のまわりを三周した。

　次の休みの日に、私たちはブリヌイを作った。ブリヌイは復活祭期の風物詩だが、この時期でなくとも粉と卵とバターがあれば作れるブリヌイは貧乏学生の味方である。具はスメタナというサワークリームやジャムが主流で、鰊のマリネがあれば豪華版だ。ペテルブルグのユーリャはさっぱり料理をしなかったので（ユーリャのお母さんはちょっと過保護で、ヴィーボルグから定期的に出てきてはいつも山ほどおかずを作って置いていくので、作る必要がなかった）、たいていのロシア料理はマーシャに初めて教わった。ブリヌイも然りだ。たかがブリヌイ、されどブリヌイ。フライパンがしっかり温まっていなかったりバターが足りなかったりすると失敗する。でもこのとき私が最初に焼いたブリヌイは、たまたまうまくいった。マーシャは不満げに「一枚目のブリヌイは失敗するものよ、って励まそうと思ったのに！」と文句を言っている。一枚目のブリヌイ云々というのはよく知られたロシアのことわざで、「初めてのことなら失敗はつきもの」「失敗は成功のもと」という文脈で使われる。でも実際には一枚目がうまくいったっていいじゃないか。そんなことを思いながら二枚目を焼くと、こんどはひっくりかえすのに失敗してぐしゃっとなった。私は失敗したのに得意になって、「『二枚目のブリヌイ』っていうことわざも作れるね、油断しちゃだめだっていう意味で」と提案した。マーシャは失敗作のブリヌイを手でつまむと、なにもつけずにぱくっと食べて、「失敗したブリヌイは食べろってのもいいかも。失敗も食べちゃえばおいしい」とおどける。そうして二人で食べても三日は持つくらい大量のブリヌイを焼き、焼いては食べ、私たちはいつもより盛大に笑った。憑きものがとれたみたいに。

22

愚かな心よ、高鳴るな

心よ　おまえも　眠ればいいのに
ここで　愛しい人の膝のうえで……
——セルゲイ・エセーニン

ロシアの専門的な大学は基本的に五年制であり文学大学もそうなのだが、申請すれば四年で卒業することもできた。卒業時に得られる資格が違ってくるのだが、日本で一般的な「学士」の資格をとるなら四年卒業で充分なのはわかっていたので、私は四年コースを申請し、三年次から四年次にかけて四・五年生の科目も含めて集中的に履修した。児童文学史、翻訳理論、著作権法、現代文学。一、二年生までより専門性が高くなりさらに面白い授業が増えたが、いちばんの目当ては四年生の科目にあった「二〇世紀ロシア文芸批評史」というアントーノフ先生の授業だ。もぐりではなく堂々と授業を履修できる。いや、二年次に一年の授業に出たときも充分堂々と最前列で聴いてはいたけれど。

二階にある中くらいの教室には北西向きの窓があり、一階の大教室とはだいぶ違って落ち着いていた。一年生の教室のように混んだり騒がしくなったりはしないだろうと思い、私は前から二番目の窓側の席についた。ここは貴族の屋敷だったころはさしずめ寝室か書斎だったのだろう、などと考えていると、アントーノフ先生が入ってきた。そしてなんと、先生は教卓に向かって椅子に座った。座って講義をする先生はいくらでもいるし驚くほどではないのだが、一年生の教室ではアントーノフ先生は決して座らず、教卓とホワイトボードのあいだをせわしなく歩きまわりながら、身振り手振りを交えて講義（というか、演技）をしていたのに、四年生の教室に入ってきた先生はあの俳優感があまりなく、いくらか老けて見える。休みのあいだに歳をとったのだろうかといささか心配になり、念のため次の月曜に一年生の授業にも（こんどはさすがに後ろのほうでこっそりと）出てみたが、やっぱり先生は去年までと変わらず元気に動きまわっていてほっとした。要するに、意図的にせよそうでないにせよ、授業によって調子を使い分けているのだろう。

話の雰囲気も違った。わいわいがやがやとした一年生を力ずくで取りこんでいこうというあの迫力がすっと抜けている。四年生は人数も少なく普通ははしゃぎもしないから、ただ話すだけでも充分なのか。先生はまず学年末にはレポート提出があることを告げ、授業に入る――

さて、この授業では二〇世紀ロシアの批評史を学んでいきます。ロシア革命前からソ連崩壊後あたりまでですね。楽しいことばかりじゃない、むしろ嫌なことも多いのが批評史です。なにかがあると一斉にみんなでひとつの作品を批判したりする――たとえばパステルナークの『ドクトル・ジヴァゴ』に対するソ連の集団批判とかね。ところがそういった頑迷な批評はその時代には正統派と位置づけられていたわけで、それがどういうことなのかを考えるのが批評史の面白さでもあるんです。ソ連批評史の転機をいくつか挙げておきましょう。革命後はソ連の政治家たちが文学サロンを作り、こぞって好きな詩人に目をつけては自分の側に引き入れようとしました。この傾向はわりと一九三〇年代くらいまで続くんですよ。のちに粛清の実行者として有名になるニコライ・エジョフの妻エヴゲーニヤ・ハチューリナのサロンには、バーベリやショーロホフも訪れていました。

先生は落ち着いた口調ではあるが早口に、第一回から文学研究入門以上の情報量を詰め込んでくる。あいかわらず教科書などない。こりゃあ清書がたいへんだ。でもやりがいはある。授業は続く――

一九二〇年代に存在したさまざまな文学グループは一九三〇年代になると解体されて、まずはいくつかの労農作家組織が形成され、一九三四年にはソ連作家同盟が誕生します。みなさんがいまいる文学大学はこのころ、一九二一年から一九二四年にかけてブリューソフがやっていた文学芸術大学の精神を受け継いで、一九三三年に設立されたわけですね。

社会のさまざまな分野においてより大きな組織が組み立てられ、急激に権力が中央に集中していく時代です。検閲もどんどん厳しくなります。一九三四年から三六年まで『イズベスチヤ』紙の編集長もやっていたニコライ・ブハーリン[*41]が一九三四年に演説をおこない、一九三六年にはそれを受けて新たな憲法が作られます。スターリン憲法と呼ばれていますが実のところをいうならブハーリン憲法といったほうが妥当です。次の転機は粛清と第二次世界大戦です。文学の面から見ると、戦時中は検閲が少し緩みました。緩んだというか、単純化したと言ってもいい、要するにとにかく戦争のことを書けばいいということで書かせていたわけですが、詳細に検閲する余裕がなかったせいもあり、この当時の新聞や雑誌を見るとどうして掲載できたのかわからないような面白い内容のものもあります。戦争という隠れ蓑を利用すれば三〇年代には書けなかったようなことも書ける面があったわけですね。ところが戦後、一九四六年八月に『星』と『レニングラード』の二誌に対する攻撃がおこなわれ、アフマートワとゾーシチェンコが批判され、一九四八年にはジダーノフ批判がおこなわれる。芸術界に対するとんでもない弾圧です。ショスタコーヴィチ、プロコ

*41―一八八八～一九三八。革命家、政治家。革命後、共産党中央委員・プラウダ編集長を務めた理論派。急進路線をとるスターリンと対立して粛清された。

フィエフ、ハチャトゥリアン……きりがありません。そんなに芸術家を弾圧して、じゃあ政府公認の芸術はなにを作っていたのかといえば『海軍大将ウシャコフ』なんていうお金をかけただけのくだらない映画です。でもね、この一九四六年から一九五三年にかけてというスターリン時代末期、ガルシア゠マルケス風に「族長の秋」とも言われるこの時代の新聞『プラウダ』あたりを調べると、価値ある資料がたくさんあるんですよ。すべてが明らかにされたというのは錯覚で、ちゃんと資料にあたれば発見はたくさんある。どの本にも書かれていないことがわかる。これは僕のライフワークのひとつでもあるんですけどね。そういう話も追い追いしていきます。

お、そうかそうか。歴史図書館に通いつめて古い新聞を閲覧している先生は、そういうことをしてたんだ。前にも寄稿してた『文学学習』誌に発表するのかな。楽しみだな。

この授業になると先生はそうやって授業の内容にからめて自分の研究や生い立ちについても話した。それでようやく、先生が一九五五年、クリミアのセヴァストーポリの生まれだとわかった。一年生の授業ではあんなに年齢不詳だったのに、ほどよく肩の力の抜けた先生を見ていると、五一歳というその年齢はしっくりきた。

四年生や五年生の授業をとりはじめた私は、だいぶ同級生の輪からはずれて一人で行動するようになっていた。ちょうどマーシャのお母さんのモスクワ上京がついに叶い、郊外に住むようになって、マーシャはお母さんの家に泊まりこみで世話をする機会が増えた。私はいっそう授業と本ばかりの生活になったが不思議なほど孤独感はなく、寮も大学も好きだった。もちろん歴史図書館も。批評史の授業をとるようになって、歴史図書館で調べたいことはぐんと増えた。卒業論文ではそれに関連したテーマを扱おうと思うようになっていた。

批評史の授業でも先生はいつも詩を暗唱した。エセーニンの詩が印象に残っている——

愚かな心よ　高鳴るな
僕たちは皆　幸福にだまされてる
同情を求めるのは　物乞いだけだ……
愚かな心よ　高鳴るな〔…〕

もしかしたら　僕らのことも
雪崩のような運命が　気にかけて
この愛に　小夜啼鳥（さよなきどり）の歌で
応えてくれる　かもしれない

愚かな心よ　高鳴るな

一九二五年、エセーニン晩年の詩だ。晩年といったってたった三〇歳で自殺してしまったのだからまだ若かったが、死ぬまでの二年ほどのあいだに、いま読み継がれている名作の多くを生んでいる。詩人は自らが死に向かいつつあるのを自覚しながらも生を愛することを決してやめず、その切実さが読む者の心を打つ。悲劇的に語られることも多い晩年だが、詩を読めばそこにいかに生命が込められているかがわかる――ブィコフの言葉を借りるなら、「詩人は常に幸福」なのだ。抑えても抑えても高鳴る胸を「愚かな心」と揶揄しても、心は幸せに鼓動し希望を探し続ける。このころ、そんなエセーニンの詩がいつも苦しいほど胸に響いた。

その日に聴いた詩を味わいながら坂をのぼり、歴史図書館に向かう。寮に帰るともういちど清書したノートを開き、ノートから威勢よく聴こえてくる声に耳を傾ける。こんな日々がずっと続けばいいのに――幸せな日々の連続に、私はそう思うようになっていた。私はいまでも、もし一瞬だけ過去のどこかに戻れるとしたら、あのとき歴史図書館に向かっていた坂道に戻りたい。

23 ゲルツェンの鐘が鳴る

検閲から言葉を解放せよ！
――『鐘』アレクサンドル・ゲルツェン

文学大学の中庭には、ここがアレクサンドル・ゲルツェン[*42]の生家であることを記念して彼の銅像が立っている。だからゲルツェンは学生たちにとって常になんとなく親しみのある存在で、中庭で談話しているときに「ゲルツェンもそう言ってるぜ、なあ？」と銅像に同意を求める学生がいたり、中庭に面した読書室で試験勉強をしているときに、勉強に飽きると「もうやだ、ゲルツェンと遊んでくる」と外に出ていく学生がいたりする。しかし

*42――一八一二～七〇。作家、思想家。一九世紀中盤以降のロシアの作家に多大な影響を与えた。邦訳は『過去と思索』金子幸彦・長縄光男訳、筑摩書房、全三巻、一九九八～九九など。

ではゲルツェンの作品も愛読されていたかというと、微妙である。毎日飽きもせずに文学談義ばかりしていた私たちは、プーシキンやトルストイやドストエフスキーやツルゲーネフはもちろん、ネクラーソフとパナーエワ[*43]やなんかのことも、まるで知り合いのことを話すように好きだ嫌いだどこがいい悪いといった話で盛りあがっていたけれど、ゲルツェンとなると――ゲルツェンを嫌いだという話も聞いたことがないが、好きだと熱弁する学生も見たことがなかった。

そんななか二〇〇七年の春に、ゲルツェンの誕生日にちなんで大学で記念会が開かれた。記念会といっても事前になにか案内があったわけではなく、ただ大学に行くと二人の教授が仲良く授業をつぶして「今日はゲルツェンの日です」と、大教室での記念会を提案した。私はそのうちの一人、文学史のミネラーロフ教授の授業に出るはずだったので、自動的に会に出席することになった。アントーノフ先生がエセーニンの誕生日を祝ったのと同じような流れだが、あのにぎやかで楽しい朗読会とはだいぶ趣が異なっていた。

教授はゲルツェンの文学的功績について特別講義のような形で語り、学生たちは（なんだ、記念会っていったっていつもの授業とたいして変わらないじゃないか）という顔で聴いていたが、終盤になってこの会を開催した理由が明かされた――

「いま、ゲルツェンはあまりにも不過な評価を受けています。ソ連時代にはあれほど高く評価されていたゲルツェンですが、ソ連崩壊後、手のひらを返したようにさまざまな批判にさらされました。そういった批判は一過性のブームのようにもみえましたが、ゲルツェンにかんして言えば、状況はますます悪くなる一方です。まるで、いまゲルツェンを出版するためには彼のようにロンドンに渡り、向こうでこっそり印刷しなければいけないのではないかと思えるほどの風当たりの強さです。このような状況に対し、もはや実際に『鐘』を鳴らす必要があるとも言えるでしょう。みなさんは文学を担う人間ですから、覚えておいてください。ものごとを――とりわけゲルツェンという類稀なる理知と心をもった作家を――そう簡単に切り捨てていいわけがないのです！」

いつも淡々とした口調でどちらかというと保守的なものの言いかたをするミネラーロフ教授のその突然の熱弁は、確かに鐘の音のように教室に響いた。学生たちは少なからず驚いた顔で聴いている。

新聞『鐘』は、ゲルツェンが友人オガリョフと一緒に一八五七年から約一〇年間にわた

＊43――アヴドーチヤ・パナーエワ（一八二〇〜九三）は詩人ニコライ・ネクラーソフ（一八二一〜七七）の友人の作家イワン・パナーエフ（一八一二〜六二）の妻で、ネクラーソフの恋人でもあり、二人は共作で詩も書いていた。

り発行していた新聞で、最初の革命新聞とも称される。検閲を逃れロンドンで発行されたこの新聞は、それ以前からゲルツェンが出していた『北極星』の付録として刊行がはじまり、『北極星』から引き継いで「検閲から言葉を解放せよ」「地主から農奴を解放せよ」「体罰から納税階層を解放せよ」を訴えていた。『鐘』という紙名は一二世紀のノヴゴロドでさまざまな身分・階層の人々が参加していた民会（ヴェーチェ）の鐘に由来している。鐘を鳴らすことは集会のはじまりを意味していた。いま突然の鐘で開かれた文学大学の集会は、ゲルツェンに対する風当たりの強さを訴えることで、ゲルツェンの現代性をも示唆していたわけである。ちなみに帰国して数年が経ったころ、日本では長縄光男先生の『評伝ゲルツェン』（成文社）というすばらしい本が出て、続いてやはり長縄先生の『ゲルツェンと1848年革命の人びと』（平凡社新書）も出た。ゲルツェンの現代性はもちろん日本においても考えられる。

ロシアでは、言論の画一化があきらかに進んでいた。ソ連時代のようなわかりやすい「検閲」の形ではないが、その動きは言葉をめぐる各界にみられた。まず、マスコミの変化——独立系テレビ局や新聞社への弾圧やスタッフの（政府にとって都合のいい人員への）総入れ替え、出版社へのモスクワ中心地からの立ち退き要請といった現象がたて続けに起こった。

大学ではこれが教科書の問題として身近にあった。ソ連崩壊以降、大学はそれまでの画一的な教科書教育からいっとき解放されたかのようにみえたが、二〇〇〇年代に入ると次第に指定教科書に沿った教育が増えていく。私が入学したころはその過渡期で、たとえば哲学の講義は教科書ではなく西欧のいくつかの有名な哲学史の本を参考教科書と定めていたが、授業は先生が自由にやっていた。この先生はプラトン以前の哲学が専門だったので、プラトンに到達するまで半年以上かかったが、たいへん情熱的で面白い講義だった。

大国主義者のロシア史の教授は自ら著した教科書を使っていたが、ある年から講義の科目名を「ロシア史」から「祖国史」に変えた。この教授のこういうところには慣れたつもりだった私もさらに幻滅し、暗い気持ちになった（これはさすがに数年でもとに戻った。ロシアを「祖国」と言われて困惑したり疎外感を感じたりするはずの学生はもちろんたくさんいる。ウクライナやベラルーシから来た学生もそうだし、アルタイ共和国などから来た学生も複数いた）。

ソ連時代から高名な文体論のゴルシコフ教授は古い教科書を改良してそのまま使っていた。八〇代にもかかわらず矍鑠（かくしゃく）としていつも見事な講義だった。「私くらいの歳になるまで教員をやってると、チェーホフの『退屈な話』の老教授と同じで、日常生活では（おや、私もぼけたかかな）なんて思っても、教壇に立つと不思議とさらさら言葉が出てくるんですよ。それにしてもチェーホフはどうしてあんなに若くして、私みたいなおじいさん先生の頭のなかがどうなっているのかを、ああも巧みに描き出せたんでしょう。すごいですね」と話していた。学問としての文体論に対する並々ならぬこだわりを持ちながら、いつも作家に対する敬意を大切にするゴルシコフ教授には、社会変動と思想の移り変わりを豊かな学識で生き抜いた人だからこその、ただならぬ存在感があった。

アントーノフ先生はかたくなに教科書を使わなかったが、私が最終学年にいたときの批評史の最初の授業で「そろそろ教科書を定めなきゃいけないって話があるんですが……いずれその可能性もありますが、ちょっと保留にさせてください」と言っていた。大学側からのなにかしらの圧力があったのだろう。

さて、話を戻すと、ゲルツェンの記念会の最後には、『過去と思索』からの言葉が引用された――

つらいときもあり、頬を涙がつたうことも幾度となくあった。けれども、喜ばしいとはいえないまでも、勇気の湧く瞬間というものもあった。私は内なる力を感じ、もはや誰にも望みをかけるわけではないが、自分に対する望みは強くなり、誰にも頼らずにいられるようになっていくのだった。

そのメッセージは不思議と学生たちの空気に溶け込む。まるで、中庭に辛抱強く立ち続けていたゲルツェンが、不意に言葉を発したかのように。

時代ごとに変わりゆく思想の流れに惑わされすぎず、私たちが自ら本を読み考え続ける限り、中庭のゲルツェンはいつまでも、学生たちを見守ってくれるだろう。

24　文学大学恋愛事件

動物は　動物園に住んでいて
僕は　学生寮に住んでいる
――アレクセイ・アントーノフ

北西向きの窓がある穏やかな四年生の教室の空気が、あるときから変わっていった。ひとつ上であるこの学年にはあまり知り合いがおらず、私はほとんど彼らと言葉を交わしていなかった。けれども数ヶ月したころ、否が応でも気づいた――私が教室に入るとそれまでおしゃべりをしていた数人が急にこちらを見たり、またひそひそ話したりする。はじめは気のせいだろうと流していたが、どうも気のせいではない。

このクラスには一名、どの授業でも中央の最前列――教卓のすぐ前に座り、先生の話に相槌を打ったり、唐突に質問をしたりする学生がいた。そんなことをはじめから許さなそうな厳しい先生に対してはしなかったが、アントーノフ先生をはじめ数人の先生は場合に応じてそういった質問にも答えながら授業をした。この学生自身はあくまでも熱心なつもりでやっていて、実際にいい質問をすることもあった。ただ、その子がそういった調子なので教室全体の雰囲気もなんとなく、授業中に突然なにかを言ってもいいような、一年生のがやがやとはまた別の、もっと内輪な感じのざわつきが常にあった。

だから私は自分の背後が多少ざわめいていても気にしなかったし、なるべく完璧な速記をとることで手一杯だったので、しばらくは無心で授業に通っていた。ところがあるとき同級生を介して妙な話を聞いた。しばらく前から私とアントーノフ先生が恋愛関係にあるかのような噂があるといい、もとを辿るとそれは創作科の四年生が書いた小説らしかった。

またただ、と私は思った。また登場人物になってしまった。実はオーリャ以降も「ユリ」はたびたび誰かの小説に登場していた。小説に描きたいからと取材に来る子もちらほらいた。結果として、自分が彼らの創作のなかでどう描かれるかはまったくわからない。音大に通うピアニストの卵になっていたり、人に優しすぎるという種類の「白痴」にされていたり、なにやらこの世ならざる存在になっていたりとさまざまだ。「真実」にこだわっていたオーリャは「これでいい?」と確かめに来てくれたけど、ほかの子はそんなことはあまりせず、大学内とはいえ発表された誰かの作品のなかに自分を見出すという体験をすることになる。それでも、取材に来たり内容を話してくれるならいいほうで、私に話しかけることもなくどこかで観察していて、あるいは存在だけ知っていて、かなりいいかげんなことを書く子もいた。名前も知らない学生が書いたルポルタージュ風の記事に私がフルネームで登場し、一緒に遊んだことになっている話がインターネット上に公開されていたこともある。知らない人が読んだら事実と捉えてしまいそうな書きかたに胸がちくりとしたが、それを書いたのが誰なのかさえさっぱりわからなかった。そんなだから、このころにはもう誰の書いたどんな文章に自分がいかに描かれようと、なるべく気にするまいと思っていた。でも今回はひどい。

創作科の学生たちは、仲間内でなにか面白い小説が流行るとしばらくはみんな現実の大学生活のなかにその作品との共通点を見つけては引用し合ったり、別の筋書きパターンの可能性を語り合って盛りあがったりすることがある。創作が現実に持ち込まれていくのである。もともと名物だった先生と、ひとりぽつんと飛び込んできた異郷人の下級生という組み合わせが、さらにその現象に拍車をかけた。私だけならいいが、先生が教室に入ってきても教室はまず不気味に静まり、それからひそひそ、くすくすとやりはじめる。じきに気づいた。違う。彼らの標的はむしろ、私ではなく先生なのだ。

いちばんまずいのは、先生自身がその噂の出どころを知っているらしいことだった。とにかくちいさな大学だ。創作科の学生が書いてそこまで広まっているものなら、大学と寮にしかいない先生が知っていてもおかしくはない。けれども先生はそういった空気を敏感に察知するうえに、受け流すということがまったくできない人だった。講義をしていても、学生が変な反応をしているのを感じとっては、思い当たるふしでもあるかのように顔を赤らめ、ときには話がおかしな方向へ逸れる。叱りとばしてやればいいのに、と思った。さすがに無視もできないほどの異常な雰囲気になっていたが、私もやはり、なすすべがなかった。

そうして最悪の事態が起こった。講義のなかで、ソ連後期のモスクワで人々がいかに苦労して禁書を入手していたかという話になったとき、外国人に頼んで外貨ショップで売っている本を入手するという方法を話し、先生はまた「モスクワ大学時代、僕は日本から来た男子留学生と一緒に住んでいたから、その学生に頼んで入手できたんだけど……」という話をはじめた。とたんにひゅうっと後ろで誰かがちいさく口笛を吹いた。先生はうつむいて、負けてなるかとでもいうように絞り出すような声で「だから……」と続けると、それきり黙ってしまった。しんと静まり返ったところで廊下側にいた学生が「お二人はまだ結婚しないんですかあー?」とやり、数人がわっとはやしたてた。私は真顔で教室を見回した。誰一人、この異様さがわからないのか――われ関せずと遠巻きに眺めている学生はいたが、誰も止めはしない。完全にたちの悪い子供のいじめじゃないか。

もうだめだった。授業は崩壊した。ようやく学生たちの騒ぎがおさまって授業が再開されても、先生はいつになくかぼそい声でやっとひとつの区切りまで話し終え、いつものように詩を読んでくれることもなく、二〇分も早く講義を終えてしまった。

くやしい。

あまりにくやしくて、私はなにもかもを責めた――

先生も先生だ。どうしてあんな子供っぽい挑発にまともに反応するんだ。あれじゃあ火に油だ。なんでも知っていて、創作と現実の関係だって知り尽くしているはずなのに、なんであああなるんだ。たかだか創作科の学生が書いた小説なのに。

私があの学年の子たちとまったくつきあおうとしなかったのも良くない。同じ授業を受けているのだからもう少し話をしておくべきだった。だいたい私はいつも、気を許せる仲の良い友達ができるとほかの友達を求めなくなってしまう。マーシャやそのほか数人の友達がいたから、あえて上級生と仲良くなる必要はない気がしていた。でも、ほんの数人でもいいから話をしていれば流れは変えられたかもしれない。

混乱した頭で、こんなことを考えた――事実を記すために書かれた文章、たとえば新聞記事だが、その記述が事実と明らかに異なれば、それは「事実を歪めた創作(フィクション)」であると批判できる。だからもし、いまみんなが話しているのが根も葉もない噂であれば、この「事実を歪めた創作」という指摘とほぼ同じ視点からの批判ができる。ではほじめからフィクションとして書かれた創作が、現実を害している場合はどうなるのか。「創作が事実を歪めた」とでもいえばいいのか。でもあの騒ぎは論外だとしても、書いた行為自体を責めるわけにはいかない。なにしろ文学大学では、当時学長だったセルゲイ・エーシン先生も自ら『日記』を出版し大学の日常を描いていた。ほかにも大学を舞台にした作品は古くからたくさん書かれていて、それが写実的作品であろうと空想であろうと好んで読まれてきた。ゴシップといえばそれまでの題材でも、実際に読めばたいていなにかその題材を選んだ意義があったり、題材を生かしたうえでの作品としての鋭さがあったりする。題材はあくまで自由、それをいかに書くか。それが創作の原則とされていた。大学生活を描いた作品で名作となったものもある。大学内でひっそりと読み継がれている作品はもっとたくさんある。

この話はしかしそこで留まらなかった。どうやら教員のなかにも同じ話題を共有している先生がいるらしい。なにか得体の知れない広まりかたをしているのはわかったが、ひとことに恋愛といってもいったいどういう噂が、どこまでが創作として、どこまでが事実として流れているのかもわからない状態になっていった。私にこの話を教えてくれた同級生に頼めばもとになった小説も突きとめて読むことができるし、詳しい話を聞くこともできるのはわかっていたが、私は決して知ろうとはしなかった。怖かったのである。これまで幾度となく人の創作に自分が描かれるたびに、それがたとえ突拍子もない空想であっても胸が苦しくなり、自分という存在がさまざまに切りとられ描かれることに喩えようのない強烈な感覚を覚えた。たとえ設定はフィクションでも、自分でも自覚していなかった内面的な特徴が巧みに描かれていると感じることもあったし、ときにはそれぞれの作品に描かれた「ユリ」になってみたくなることもあった。だからこそ、先生と私の恋愛というものを読むのは恐怖でしかなかった。もしそこに少しでも納得のできる描写があったら、もしそうなってみたいと思えるような部分があったら――私の精神はその虚構に絡めとられて、二度と戻ってこられないのではないか。それが怖かった。だから絶対に読まなかった。

私はただひたすら気がついていないふりをした。この授業だけ来年にまわすことも考えたが、どうしても癪だった。

けれども救いはまもなく訪れた。救い、というよりは先生が自ら作った突破口である――先生は突然、文学サークルをたちあげたのだ。プーシキンの『ベールキン物語』(一九世紀ロシア文学における創作のお手本のような作品だ)にちなんで「ベールキン」と名づけられたそのサークルは、「学科不問、誰でも歓迎」「上下関係なし」「才能も問わず」をスローガンに、毎週水曜に作品を持ち寄りみんなで講評会をするという単純なコンセプトだった。

もともと文学大学が制度として持っている少人数の創作ゼミは、偉い「巨匠」のもとにほぼ決まったメンバーで集まるという（その良さもあるにせよ）やや閉鎖的なものだったので、先生の開放感溢れるサークルは人気を集めた。「才能も問わず」というのは冗談ではない。創作科の学生はとりわけ一年次から二年次にかけて「才能病」にかかることがよくある。「自分には才能があるか、否か」。その悩み（あるいは才能の過信）が創作に（ましてや勉学に）いい影響を与えることはまずない。それなのに講評会で巨匠が誰かを「才能がある」と評価してしまえば、その当人も含めて学生たちのあいだに焦りが生じる。先生は、「ここにはそういう評価もありませんよ」と呼びかけていたのだ。

批評史の授業は、それからほんの数回のうちにあの騒いでいた学生たちが来なくなって人数が激減したが、そのかわり静けさが戻った。講義も平穏に進んでいく。だいたい、このクラスがちょっとおかしかっただけで、先生を慕う学生は大勢いる。私も友達からベールキンへ行こうと誘われたが、行かなかった。行ってみたい気持ちがなかったわけではないけれど、私は創作をするために大学に入ったわけではないし、せっかく先生が新しく作った場所に入っていくのも野暮な気がした。ただ、ベールキンのおかげで先生がしょっちゅう学生たちに囲まれて楽しそうにしているようになったのを嬉しく眺めた。しばらくすると、先生も短編を書いているという話を聞いた。これまで詩は書いても散文は書かないと言っていたのに。五〇代にして初めて小説を書いた先生は、数年後にささやかな文学賞上演されていた。

を受賞した。もともと性に合っていた戯曲のほうも評判がよく、マヤコフスキー劇場でも

私はあのとき先生が学生たちを叱らなかった理由を、ずっと考えていた。人は、不当な扱いをされたときにどうすべきなのかを。日頃から学生とのあいだを上下関係とみなし、尊大ぶって上からものを言う態度をとる先生は、そもそもあんなことにはならない。アントーノフ先生だって、一年生の講義のように有無をいわせない迫力で教室を引っぱっていたら、ああはならなかっただろう。だけど四年生を信頼しているからこそ演技をやめ、暗記の試験ではなくレポートでの評価にし、突然飛んでくる質問にも答え、自分の研究や生い立ちの話も交えて対話的な授業をしてくれていた。それなのに対話が成り立たなくなった。

先生の書いたこんな詩がある――「動物は動物園に住んでいて、僕は学生寮に住んでいる。いつまでたっても住んでいる。そして動物をうらやんでいる。だって動物はみんなに見られ、愛でられる……」。動物園の動物がうらやましいなんて、五〇代の大学の先生が書く詩だろうか。先生には体面とか世間体とか、そういった類の見栄がいちじるしく欠けていた。

およそ集団というものは、そういった見栄のない無抵抗な人間を見つけると、突如として攻撃的になることがある。あの事件はそういう性質のものだったのだと思う。けれどもそれでも失われない尊厳が先生にはあったし、それでも学生を信頼していたから、あえて「上下関係なし」を謳って瞬く間に新しい場所を作りあげた。偉ぶったり叱ったりすることで表面的に授業を成り立たせることはできても、それは力で抑え込んだだけで、そこから対話は生まれない。先生は、まだ学生とはいえ文学に従事する人間を尊重し、対話することを決してあきらめなかった。

25 レナータか、ニーナか

自己認識の終わりは、彼女について書かれた物語詩の終わりと同じだった。
――『ネクロポリス』ウラジスラフ・ホダセーヴィチ

文学大学を卒業して東京へ帰ってきてからも、アントーノフ先生の講義ノートは私にとってなにより大切な宝物だった。東京で大学院に入りゼミで初めての発表をするときも、そのまた数年後に研究会の発表原稿を考えるときも、発表の前には必ずあの講義ノートをひらき、聴こえてくる先生の声に耳を傾けた。そうすると、なにをどうまとめたらいいのか、なにがいちばん重要なのか、どう話したらいいのかが、いつもすんなりとわかるのだった。

マーシャは卒業後しばらく母校の事務のアルバイトをしていた。その時期、私は論文の調査のためにモスクワに一ヶ月半ほど滞在していたのだが、あるときマーシャが「毎朝、事務室に行くとさ、アントーノフがパソコンの前にいてじゃまなのよね。そこらじゅう煙草の灰だらけにしちゃうし、大学に泊まりこんだりしてるし、まったくどうなってんのかしら」と嘆いた。私は在学中、マーシャに――というより一切誰にも、先生の話をしていなかった。一年や二年のときならみんなの話題にでてくれば調子を合わせて相槌くらいは打ったが、あの恋愛事件以来、私が不用意に先生に言及してしまえば、それがいかなる形であろうと例の噂を煽る可能性があるかもしれないと思い、さながら「熊の名を口にすれば熊が出るから熊と言ってはいけない」迷信を信じる農民のようにかたく口をとざし、意識的に話さないようにしていた。先生とまともに会話ができるのは、大学関係者のいない歴史図書館だけになっていた。マーシャがあの噂を耳にしていたかどうかはわからない。彼女は人と群れないほうで、噂が嫌いで、私をよく知っていたから、聞いたとしても相手にしなかっただろう。マーシャは続けた――「ユリがいたころはまだ元気だったし、飲兵衛とはいえ飲んでないときもあったでしょう。それが最近ずっと、しらふに戻る瞬間がないみたいな感じなのよ」と。確かに卒業から数年が経ったこの時期に歴史図書館で見かけた先生は一気に白髪になって歩きかたさえ頼りなく、一年生のころは三〇代にも見えたあの元気な姿はずいぶんと変わっていた。図書目録の置き場ですれ違ったときに目が合ったような気がしたが、先生は一瞬、幻でも見るような顔をしただけで、またふらりと読書室に入っていった。話しかける勇気は出せなかった。けれどもベールキンの活動を続けているのを知っていたから、大丈夫だと思った。学生との対話を続けている限り、先生は大丈夫だと。

それからまた数年が経ったあるとき、東京で久しぶりに先生の講義ノートをひらいた私は、大袈裟ではなく血の気が引くのを感じた。聴こえない。あれほどはっきりと聴こえ続けていた先生の声が、ぱたりと止んでいる。文字はある。意味もわかる。内容はちゃんと理解できる。でも声が聴こえないのである。大切に守り続けていたあの声の記憶が、ついに消えてしまったのだろうか。悲しくてその夜は少し泣いた。でも次にモスクワに行ったときに先生の講義を聴きに行けば、またよみがえるかもしれない。まだ希望はある。

そうして二〇一八年の春、私は博士論文の最終調査のためにモスクワとペテルブルグに行った。ところがこの年、文学大学は大規模な改修工事をしていた。あの歴史的な校舎を守るための改修なのだから仕方ないが、そのせいで講義のスケジュールが変則的でうまくつかめない。講義のありそうな日に何度か大学をうろうろしてみたが、結局アントーノフ先生は見つからなかった。時間割を確認すると、文学研究入門の授業の欄には先生の名前があるのに、批評史は知らない先生になっているのが不可解だった。でももうモスクワを去る予定が迫っていた。仕方ない、次回にするか、と私はあきらめてペテルブルグに移り調査を続けた。

東京に戻りしばらくしたころ、ふと先生のことが気になり大学のホームページを調べた。二〇一八年五月一九日、アントーノフ先生が亡くなりました。先生は一九九四年から文学大学附属のリツェイで教え、一九九七年からは大学で教鞭をとっていました。

まさか。その短い訃報に衝撃を受けながらリンクをクリックすると別のページに飛び、そこには学生が書いた長めの追悼文が掲載されていた──

人は、子供のまえではつらくて死ねないといわれています。だから世界のさまざまな民族に、死にゆく人の病床から子供を遠ざける風習が根づいています。〔…〕先生自身から、自分が死んだら追悼文を書いてくれと頼まれたのは、二〇一七年の一二月、エーシン元学長が亡くなった日のことです。先生の恐ろしく悲劇的な死のときが、半年後に迫っていました。先生はもっと早くにこの世から去ってしまいたかったと言っていました。けれども教え子たちが──先生にとっては我が子も同然だった教え子たちがそうさせず、つなぎとめていたのです。

ああよかった。嘘だ。知ってるぞ。ふん、こっちは創作科の子たちのでっちあげには慣れてるんだ。懐かしい、あの子たちがよく書いていた文体だ。ほんとうの死がこんなふうに語られてたまるものか。それにしても下手な作り話だな。先生は決して死をほのめかすような人じゃなかったのに。

けれども、そうしてかつて上級生の教室にいたときのように全力で無視しようとする私を尻目に、追悼文は大真面目に続ける――

アントーノフじいさん。先生は自らをそう呼んでいました。実際はぜんぜん老人じゃなかったのに。〔…〕先生が教室に入ってくると、みんながざわつきました。顔のむくんだおじさんが、明らかに酔っぱらった状態で教壇に立ちます。最前列にいた学生にからかわれると、先生は上目遣いに教室を見て、にやりと笑い、それから講義をはじめます。すると語りようのない奇跡が起きるのです。ブロッキーはノーベル賞受賞講演でこんなことを言いました――詩人が詩を書くのは、詩作によって意識や思考や世界観がめまぐるしく加速される特殊な感覚を味わうためで、この加速をひとたび体験した者は何度でも繰り返しそれを味わいたくなり、その感覚の虜になっていく――と。アントーノフ先生は魔法でも使うようにして、教室全体をブロッキーのいう「加速」の感覚に巻き込んでいきました。こんな感覚をもたらすことができたのは、あとにも先にも先生だけでした。

うん、ここだけはいい。教室じゅうがあっというまに吸い込まれるようなあの感覚、虜にされてしまうあの奇跡を、最近の学生たちもちゃんと感じていたんだな。先生が十数年前、初めて自分のことを「老人」と呼んだときのことも覚えてる。一、二年のころはそんなことは言っていなかったから、それに驚いたことも。でもまだ信じないぞ。ブロツキーとの比較だなんて、こんな猫騙しにだまされてたまるか。

追悼文は続く。先生が私たちと一緒に学生寮に住んでいたこと。寮でも慕われていたこと。卒業生が書いた詩も引用されている――「アントーノフは酒を飲み、夜中に外へと繰り出した、一滴の四〇度の酒のためだけに、自制しようともせずに」。くだらない詩だなあ、先生はいつもこうやって学生が面白半分に書く詩の題材になってたけど、仮にも追悼文のつもりならもっとましなのはなかったのか。ここからどう続けるつもりだ。

先生は寮から追い出されました。誰かが密告したためだとも、先生が火事を起こしかけたせいだとも言われています。そうして先生は屋外の温水配管で暖をとり、公園に寝泊まりするようになりました。パスポートさえも失くし、真冬だというのにホームレスと一緒に何日もトロリーバスの中で寝ていました。〔…〕大学の中庭で先生の姿を見かけると私たちは喜びました。「よかった、生きてる」と。大学での仕事は続けていたし、驚くべきことに先生の頭脳は明晰なままでした。どこに寝泊まりしていようとも、講義をしにくるときは清潔できちんとした身なりで、いい匂いがするのでした。けれども半年前にエーシン元学長が亡くなったのが決定打になりました。最後に会ったとき、先生は「僕にとってはエーシンこそが文学大学だった」と言っていました。学生にとってはアントーノフ先生こそが文学大学でした。〔…〕先生は、ときには人を怒らせて当然の奇行をしでかすのに、それでも学生に愛されていました。〔…〕先生が体調を崩したのは二月のことでした。わかる人は「これはもう助からない」と悟りました。でもベールキンに参加していた学生たちはあきらめず、みんなでお金をかき集めて先生を病院に入れました。ドヴェトロフ君が病院に泊まり込んで看病し、最後まで先生を死の床から救い出そうとがんばっていました。〔…〕なぜあんなにたくさんの学生に愛され、限りない才能に恵まれた先生が、いつしか私たちと一緒に過ごすのを厭うようになっていたのでしょう。私にはわかりません。誰も知らないのです。

どうか安らかにお眠りください。私たちは先生が好きでした。

その文章は最後に先生の詩を引用して終わっていた。下手な追悼文、いや作文だ。悪趣味な冗談だ。信じてやるものか。だいたい密告ってなんなんだ。ソ連時代じゃあるまいし。そう思いながらも、私はすでにぐちゃぐちゃに泣いていた。この文章がかつての四年生の小説みたいに事実無根な創作だという決定的な証拠がどこかにないか探すために、心を抉られる思いをしながら何度も何度も読み返した。まずひとつ、大学の先生が学生寮を追い出されてホームレスになり公園から大学へ通って授業をしているなんて、荒唐無稽である。おまけに火事を起こしかけたせいだなんて……。だが無常にもそれらは容易に想像できてしまう（もしほんとうに火事を起こしかけたのだとしたら、煙草の火を消しそびれたのかもしれない。一九五〇年代築の非常階段もない建物で火事が起これば大惨事になりうる。実際、モスクワではどこかの大学の学生寮で火事があり犠牲者が出るという事件が数年に一度は起きており、寮ではその警戒がしきりに呼びかけられていた。万が一にも大きな火事になりその火元が教員だなんてことになったら、とんでもないことになる）——これは証拠にならない。ふたつ、先生にはほんとうに、ベールキンの学生たちしかいなかったのか。あのとき私の目の前で生まれたあの文学サークルがいかに大切だったにせよ、あれからの一〇年を、それだけを頼りに先生は生き延びていたのか。身よりもなかったのか。故郷のセヴァストーポリには帰れなかったのか。けれども確かに、大学でも寮でも歴史図書館でも家族のように顔を合わせていたあのころから、先生はずっとひとりだった。まだあるはずだ……。みっつ、ほかの先生たちはどうしていたんだ。ただ黙って見ていただけなのか。でも数年前に大学事務のアルバイトをしていたころのマーシャの言葉を思い出すなら――あのときすでに、マーシャでさえ愚痴をこぼすほどだったのだ。私がいたころもほかの先生たちとうまくいっているとは言い難かったし、あからさまに蔑むように見ていた教授もいた。だから、ベールキンの学生たち以外誰も残らなかったとしても、そう不思議ではない。そもそも、いくら文学大学だって、学生の創作を訃報とともに追悼文として掲載するなどという悪ふざけをするわけがない。

追悼文といえば――と、私はこんなときでさえ文学を思い出す自分になかば呆れながら思う――ホダセーヴィチ[*44]の『ネクロポリス』は、作者が直接親交のあった二〇世紀初頭の詩人らに対する思い出を、当時の時代背景などとともに綴った回想録で、タイトルが示すように巨大な墓場のように亡くなった人の追悼が連なっている。その冒頭にきているのが「レナータの最期」と題された、ニーナ・ペトロフスカヤの話だ。ニーナはブリューソフの長編『炎の天使[*45]』のヒロイン、レナータのモデルになったことで知られている。ここでホダセーヴィチが語る当時の象徴主義詩人たちの創作と人生の交差は、文学大学で起きていたことによく似ている——

日常の体験は常に単なる体験ではなく創作の源となる。ひとたび創作が生まれると、現実を創作された作品のように生き、そこからまた新たな創作が生まれる。それを集団でやり続けているから常に創作と現実の境があいまいで、弱い者はとりこまれる。ここで「弱い」というのは世間一般的にいう「精神の弱さ」とは少し違う。むしろ自意識が強く自己像にこだわる人間で、それが実生活では強みにもなる。なにかを創り出す力は強くないが、他者が描きたくなるような個性と魅力があり、その人物についてはいくつもの伝説が生まれていたりする。けれども創造する人々のなかにいてその個性がどこかに巧みに描かれてしまうと、その人は簡単にとりこまれ、描かれた世界の終わりが命の終わりにひとしくなる。ニーナが亡命先のパリで自殺の危機に瀕していたとき、その噂を聞いたブロークは手

*44——一八八六～一九三九。詩人。パリに亡命。亡命先で『ネクロポリス』などの回想録のほか、プーシキンなど一九世紀の詩人についての著作も書いた。
*45——一九〇七年発表の長編小説。プロコフィエフによるオペラ化作品でも知られる。当時の象徴主義詩人たちをモデルにし、舞台を中世ドイツに移して描いた。

帳に短く「ニーナ・ペトロフスカヤが『死んでいく』」と書き留めている。なぜ「死」をカッコで括っていたのかといえば、ブロークをはじめ彼女を知る人々はニーナがかねがね「死ぬ」と言っていたのを知っており、その言葉はもはや創作のように響いて説得力がなかったためだった。けれどもニーナはほんとうに死んだ。死んだのは作中のレナータではなく、ニーナ・ペトロフスカヤという現実の人間だった。

考えれば考えるほど、先生の死は事実だった。死んだのは学生の創作のなかの先生じゃなく、現実の先生だった。涙はしつこく流れ、止まったかと思えばまた溢れる。私が春に行ったとき、先生は入院していたんだ。簡単にあきらめずになにがなんでも探して病院を突きとめていれば、一目でも会えたかもしれない。けれども先生にとってそのころの苦しみは、体も、心も、どのくらいつらかったのだろう。想像しようとしても、頭が途中で拒む。もし私が代われるのなら、いくらでも代わりに苦しんだのに。そんなことが叶うんなら、奇跡でも起こるなら、いまからだって願う。身代わりになれるなら。だめだ。そんな「もし」は無力だ。涙の向こうの追悼文を懲りずになぞり、くだらないエピソードや学生の詩の部分は飛ばし読みしながら、先生はそれでもせめて最後まで学生に囲まれ、愛されていたのだと思おうとする。けれどもその文章には一箇所、ぜったいに否定しなければならない点があった。「恐ろしく悲劇的な死のとき」という表現だ。これは、嘘だ。私は先生になったつもりで、この学生の「創作」を講評する――

追悼文形式か。うん、なかなか面白いと思います。でも「最後に先生に会ったときにエーシン元学長の話をした」と書いていて、それは半年前の葬儀のころのことだから、この「語り手」は直接「先生」の死に際を見たわけじゃないんですよね。それなのに「恐ろしく悲劇的な死のとき」というのは推測にしてはどぎつい表現で、まわりの文と比較しても若干浮いてるんじゃないかな。この先生はいろいろたいへんな思いをしたと思うけど、きっと最後には眠るように亡くなったと、僕は思いますよ。そうじゃないとちょっと、救いがなさすぎると思わない？

26 生きよ、愛せよ

少年の日々　春の予言に嬉しく耳を澄ました
——ワレーリー・ブリューソフ

私もまた、どこかの時点で先生の死を予感していたはずだ。そう思って日記を見ると、ぞっとした——先生が亡くなるちょうど一〇年前、卒業を控えた二〇〇八年四月二五日の日記だ——

昨日の夜、アルコール中毒についての記事を読み返した。末期症状が当てはまってきている。この症状での平均寿命は五〇代前半。手が震えるのはよくある症状だと書いてあるのを見て最初は少し安心した。だけどあの目つきは……。それから異常な孤立、普段はあれだけ柔軟で聡明な思考が時々唐突に乱れるところ。記憶に対する執着と記憶の混濁、「正常な判断力」に対する固執。栄養失調による衰弱。いまならまだ間に合うかもしれない、いまがほんとうに危ないときなのかもしれない。あと一〇年、生きられるかどうか。

おい、一〇年前の自分。あいかわらず日記にさえ先生の名前を記すのを恐れ、それなのに先生の寿命の心配までしていたおかしな自分よ。なにが「あと一〇年」だ。なにを冷静ぶっているんだ。……でもそうだ、覚えている。最終学年にいたころ、急激に衰弱していく先生が心配になり、一時帰国のときに実家にあった『家庭の医学』を読み漁り、インターネットの記事を探して印刷し、モスクワに戻ってきて先生の様子を確かめて、当てはまる症状があれば線を引き、考え、計算し、そして書き留めたのだ——「あと一〇年」。決して当たるはずのない予言だった。モスクワへ行くたびにいつまでも元気に講義を続ける先生を見て、「卒業するころには先生に会えなくなるのがさみしくて過剰に心配なんかして、私もバカだったなあ、若かったなあ」と笑い飛ばすつもりだった。それに、もちろん予言のつもりなどではなかった。いや、じゃあなんのつもりだったんだ。なんのつもりでこのときの私は、先生があとどれくらい生きるかなんて恐ろしいことを書いたんだ。いくらあのころの自分にとって一〇年という歳月が果てしなく遠いものだったとしても、いくら誰にも見せるつもりのなかった日記でも、言葉にしてしまったものが現実となる恐ろしさは、よくわかっていたはずなのに。

待て。言葉が現実になる恐ろしさ？ そんなこと、いつから知ってた？

初めは——ペテルブルグのあの薄暗い部屋で、エレーナ先生に忠告されていたのだ。不幸な予感は決して言葉にしてはいけない。とりわけ生来詩を愛せるような詩的な性質を持つ人間が不幸を予言すると、必ず現実になると。ツヴェターエワの話をしていたときだった。それから——ユーリャもそうだった。自由奔放に言葉を使うユーリャが、ひとつだけ「言ってはいけない」種類の言葉を説明してくれたことがある。ロシア語で「カラスがカアと鳴く」という意味に由来する言葉で、カラスが鳴くと不幸を呼び寄せるように、悪い予感を口にするとその通りになるという民間伝承を表す言葉だった。どんな卑猥な言葉も躊躇せず口にするユーリャなのに、「未来を示す言葉はときに恐ろしい威力があるから気をつけて」と語っていた。それに——感覚の人だったデニスは、言葉ではなく「予見」という形で、いつも未来を見ていた。そしてマーシャと暮らして、私はひとつひとつの言葉の重みを実感した。ツヴェターエワの『家』を読んでくれたときのように、人は言葉に実態を見出し、喜び、言葉に傷つき、言葉によって生かされていると。

だから不用意に言葉を使ってはいけないのだ。……でも、予言を責めるなんてばかげてる。ほんとうに責めるべきは、日記に「一〇年後」という言葉を書いたことなんかじゃない。それが一〇年も前にわかっていながら、私もまた、なにもしなかった。あのときの私は、自分になにができるのかをいくら考えても答えがわからなかった。だから信じようとした――先生はきっとそれほど孤独ではない、私がなにかできるなんて、ただの思いあがりだと。

先生の訃報からしばらく、私はまたロシア語の朗読CDを聴きながら東京の街を歩いていた。先生が好きだった詩人、イリヤ・セリヴィンスキー。[*46] プーシキンの物語詩。ロシア文学だけじゃない。先生がモビー・ディックのことを「ロマン主義的なくじら」として紹介していた授業が面白くて、ロシア語訳のメルヴィルの『白鯨』に熱中した。シェイクスピアもそうだ。先生の授業はいつだって、時代も派閥も超えて世界の文学と研究に向かって開かれる扉だった。オウィディウスもサッフォーも、フォンヴィージンもグリボエードフも、グラジーリンもアクショーノフも、ボルヘスもガルシア゠マルケスも、ワイリとゲニスも、バフチンもレフ・ローセフも、授業に登場するとたちまち身近な興味の対象になっていって、なにを読んでも胸が高鳴った。でもやっぱり、先生がいつも照れながら引用していたブリューソフを聴くと、授業に通っていたころの心地よい緊張感がよみがえる――

*46――一八九九〜一九六八。クリミアの首都シンフェローポリ生まれの詩人。ロシア構成主義の創始者。

少年の日々　春の予言に嬉しく耳を澄ました〔…〕
まだ湿った森を彷徨い　五月の空は深く青く〔…〕
僕は頭上の声を聞く　春の陽気に満たされて
あたり一面が　歌っていた――

「生きよ　愛せよ　前へ進め！
翼の生えた心で　闘いを探せ」と……

その詩は『春の予言』と題されていた。ふと、聴こえなくなったはずの声が――こんどは講義ノートからじゃなく、あの威勢のよさもなく、それは声でさえなく、ただ意味を持った波のようなものが――どこか遠くから響く。僕が死ぬ予言だなんて、なにをおかしなことを言ってるんですか。「予言」っていえば、ほら、こんなうららかな陽気にぴったりの、こういう詩があるでしょう――と。でもそれもまた、たちまち涙にのまれていく。
二〇一八年秋。ロシアの第一テレビで、文学大学の改修が終わり、かの歴史的な姿が復元されたというニュースをやっていた。そこにもう先生はいない——いくらその事実を飲み込もうとしても、私はいつのまにか勝手に忘れている。大学も寮も歴史図書館も、「こんど行ったら……」と思い浮かべればそこには先生の姿があり、そうか、もういないのか、と思うたびに、あれ、おかしいな、と感じる。おかしい。脳のどこかに欠陥でもできたんだろうか。こんなふうに何度も、ごく自然に忘れてしまうなんて。

先生が亡くなってまもなくすると、教え子たちが先生を記念して、アントーノフカ文学賞という賞をたちあげた（アントーノフカというのは先生の名前から作った地名風の名でもあり、素朴で香りの良いりんごの品種でもある）。四〇代で講師になり、五〇代で初めての小説を書いた先生にちなんで、四〇歳以上でないと応募資格がないというユニークな賞だ。学生たちの追悼文も次々にあがっていた。けれども学生というのは結局、いつまでも大学に留まるものではない。長く先生を知っている人は少なかった。一人、比較的長いつきあいの同僚が短い追悼文のなかで、アントーノフ先生がいちばん幸せそうにしていたのは二〇〇五年の春だったから、そのころの姿のまま記憶しておきたいと書いていた。ああ、ちょうど一年生の終わりのころだからよく覚えている。そのあと、なにが起こったのか。先生が初めて自分のことを「老人」と言ったときのことも記憶にある。私が最終学年にいたときの、批評史の授業だった。なにしろ前年の批評史の授業が途中であんなことになってしまったので、私は次の年もまた通ったのだ。こんどは入学時から一緒の同級生のクラスだったので私も安心して授業を受けたし、クラスの雰囲気も良かった。ただ、それぞれの時代の優位的な思想に常に疑問を投げ続ける先生の発言は、ときにはきちんとみんなに伝わらない、理解されないことがあった。急激に閉塞感が増していた時代の空気を、先生は確かに感じとっていた。自分の言葉が現代の学生に冷ややかな目で見られる可能性があるのを知っていて、それでも言わなければいけないことがあるとき、先生は訴えかけるように、老人という言葉を使ったのだ。「アントーノフじいさんが言ったことを、どうか覚えておいてくれ」と。とっさに出たようなその言葉に、教室にいた何人かは驚いて注意を向けた。そのころの先生にはほんとうに、老人なんていう表現はまったく見合わなかった。でも先生はこの言い回しを気に入ったのかそれから頻繁に使うようになり、その言葉は見る間に真実になっていった。だから――先生を「老人」にしたのは、時代の閉塞感そのものだったのだろう。だとすれば、それを急速に進め、先生を追い詰めてしまったのがなんなのかはきっとわかる。焦らずに考えよう。なにしろ私はまだ、アントーノフカ文学賞に応募できる年にも達していないんだから。

私は先生に教わったことを思い出した。先生の言葉の端々にそのヒントがあった。ものごとがわからなくなったら、いったん離れてみること。絶対にごまかさずに、自分の書いたテクストに対して常に誠実であること。

　では、どこまで離れてみればいいのだろう。卒業してから先生が亡くなるまでのあいだ大学でなにが起きていたかを、私は詳しく知らない。でもその時代になにが起きていたかならわかる。ロシアとウクライナと、クリミアに、先生の故郷セヴァストーポリに、なにが起きていたのかなら。私は、自分のことのように追っていたから。

27 言葉と断絶

人と人を分断するような言葉には注意しなさい。
——レフ・トルストイ

大学時代の私やマーシャに「ロシアとウクライナが戦争をする」などと言っても、私たちは笑い飛ばしていただろう。ウクライナ東部に祖父母のいる友人マルーシャもいたし、ウクライナ人の学生もいた。そもそもロシアにとってウクライナやベラルーシは「外国」というより「家族」といった感じで、あえていうなら、たとえばベラルーシならオーリャの故郷をはじめ多くの地域で日常的にロシア語を話していたのに対し、ウクライナではどんどんウクライナ語教育が進められていたから、それなりに独自の発展をしていくのだろうという感覚はあったが、戦争が起こるなどとは到底思えなかった。

しかし最終学年のころには、ウクライナとロシアの不穏な溝を感じる出来事が起こるようになっていた。そこで問題になるのはやはり言語だった。あるとき、文学史の教授が講義でウクライナ出身の作家を何人か挙げ、「ゴーゴリはウクライナ語もできたのに、結局はロシア語で書くことに落ち着くわけで、やはりウクライナ語よりロシア語のほうが優れているというか、文学的で、文学作品に適しているんでしょうね。ほかのウクライナ出身の作家も多くがロシア語で書くようになっていますし」という、ありえない発言をした。両言語の歴史をめぐる考察もなにも一切抜きにして（いや、たとえそれがあったとしても）言語を比較してどちらかを優れているだとか文学的だとかいう主張には、むろん根拠も学術性も皆無である。講義で教授が堂々とそういう発言ができるというのは、社会にそれを許すだけの風潮が広まってきていたということでもある。ただこのときは、普段はおとなしいマルーシャが即座に「じゃあシェフチェンコのウクライナ語作品はどう説明するんですか！」と大声で反論したのがせめてもの救いだった。だがそれにしても、なぜ教授があのような発言をするに至ったのだろう。

ミハイル・シーシキン[*47]もまた、ウクライナ人の母とロシア人の父のあいだに生まれモスクワで育った作家であり、一九九〇年代以降はスイスに暮らしている。ウクライナ、ロシ

*47——一九六一〜。モスクワ生まれの作家。邦訳は『手紙』拙訳、新潮社、二〇一二。

ア、ヨーロッパをそれぞれ身近に知るシーシキンは、ウクライナ問題が勃発してすぐにその経緯を鋭く考察し、現状を批判した――

ロシアとウクライナは、ほんとうの意味での兄弟だ。私自身、母はウクライナ人、父はロシア人の家に生まれているし、似たような家庭はロシアにもウクライナにも数限りなく存在する。その二国を争わせ、分かつことなど、本来できるはずがない。ゴーゴリを――共に誇る偉大な作家を、どちらかの国に属する作家と定めるのだろうか。共に経験してきた恐ろしい歴史を――恥を、苦しみを、分断するというのだろうか。〔…〕

プーチン政権下のロシア。連日ニュース番組で流されるのは、ウクライナの反戦運動を凶悪な暴動のように捉えたプロパガンダ的な視点の特集ばかりだ。しかもそこへ、昔から小話に登場するような、ウクライナ人を小馬鹿にしたようなイメージが加わるのだからたちが悪い。つまり、狡くて欲張りで少し頭が足りないウクライナ人、豚脂(サーロ)のためならヨーロッパにだって悪魔にだって魂を売ってしまうウクライナ人……といったイメージだ。国営テレビが先頭に立ってそういった番組を放送しているのだから恐ろしくなる。〔…〕

ウクライナ東部やクリミアの住民の混乱も無理もない。人々は「ウクライナ化」政策に対する戸惑いを隠せなかった〔東部にはロシア語話者が多い〕。考えてもみてほしい、スイスで同じようなことが起こったらどうなるだろう――ベルンの連邦議事堂において、多数派のドイツ語系議員によって「ロマンディ地方〔スイス西部のフランス語圏〕におけるフランス語の使用を禁ずる」という法律が採択されたとしたら？

その困難な状況において一般の人々をさらに混乱させたのは、ソチオリンピックを悪用した偽りの「勝者」、つまり愛国意識を煽り「国家は国民を守らなければならない」と声高に叫ぶ者たちだった。いかなるイデオロギーのもとにおいても――一九世紀の正教であれ、共産主義であれ、現代に復活した正教であれ、体制は常に愛国心を利用して国民を操ってきた。それは今でも変わらない。この数週間というもの、ロシアのテレビではひっきりなしに、「祖国を守れ」と訴えている。「クリミアおよびウクライナ東部のロシア系住民を、ウクライナの暴徒から守れ」と。〔…〕

長い歴史のなかで崇められてきた「愛国心」という聖者は、人間の権利も個人の尊重も、粉々に嚙み砕いて飲み込んでしまった。

幼なじみがアフガニスタンで戦死したとき――あのときも彼らは、「戦地で祖国を守っている」ことになっていた――私は幾度か彼の両親のもとを訪ねた。彼の母親は、「祖国ってなに？　ねえ、祖国ってなんなの？」と繰り返し問い続けていた。その問いに、返せる言葉はなかった。

チェチェンで戦争がはじまったときもそうだった。あるドキュメンタリーで見た、まだあどけない少年が「僕はここで、祖国を守ってるんだ」と語っていた姿が目に焼きついている。

そして今、ロシア人の少年とウクライナ人の少年に求められているのが、互いに対立し「祖国を守る」ことだという。〔…〕

二〇〇八年にも政府はグルジアとの間に戦争を起こし、それまで培ってきた友好関係をいとも簡単に切り捨てた。あの戦争が生んだ溝は決して浅くない。同じことが今、ウクライナとの間に繰り返されようとしている。〔…〕

気の遠くなるような人類の歴史のなかで、いったい、「国を愛せ」という呼びかけの末に、どれほどの命が犠牲になっただろう。そして今、ロシア人が、ウクライナ人が、同じ犠牲のもとに立たされようとしている。兄弟は共にその苦しみを味わい、いつの日か共に未来を取り戻そうとするだろう。（ミハイル・シーシキン『ウクライナとロシアの未来』拙訳、集英社『すばる』二〇一四年六月号より抜粋）

政府が意図的に言語を分断させるという行為――それは、両言語の話者を故意に対立させる暴挙にひとしい。加えてロシアでは、それまでにもウクライナに対する「弟」的な見方が根強くあった。兄弟とはいえあくまでも「兄」はロシアで、ウクライナは「弟」である（ベラルーシに対しても似たような見方がある）。楽天家で陽気なウクライナという弟は、愛嬌はあるが欲張りで間抜けで少し頭が足りないとか、お兄ちゃんほどは立派になれないとか、そういったイメージにつなげられていく——ロシアの国営テレビが先頭をきって、そういった番組を放送するのである。

しかしこういった現象は、突如として現れるわけではない。二〇〇八年の講義で文学史の教授が「ロシア語のほうがウクライナ語より文学的で優れている」と言ってしまったあの瞬間を、私は二〇一四年以降に幾度も苦々しい気持ちで思い返した。仮にも言葉を教える大学である。ある大教室の壁には、レフ・トルストイの言葉が掲げられていた——「言葉は偉大だ。なぜなら言葉は人と人をつなぐこともできれば、人と人を分断することもできるからだ。言葉は愛のためにも使え、敵意と憎しみのためにも使えるからだ。人と人を分断するような言葉には注意しなさい」。その教えは私たちにとって指標であり規範であった。現代文学のゼミで差別主義的な思想を含む小説を扱ったときに、発表をした学生がトルストイのこの言葉を引用し、「これは隣の教室に書かれているトルストイの言葉で言うなら『分断』を招く作品ではないのか」と批判していたのを覚えている。それなのに、教授が先陣を切ってあんなことを言うなんて。

マルーシャやシーシキンや、そのほか数え切れないほどのウクライナとロシアの両方に出自を持った人々にとって、両国の紛争やクリミア併合は人と人どころではない、自らの身体を引き裂かれるかのような痛みだった。それだけではない。ロシアでもウクライナでも、それまで親しかった人々が、「クリミアはロシアのものか、ウクライナのものか」というたったひとつの争点により、まっぷたつに分断されていった。

信教の問題にせよ紛争にせよ、国家は内面の自由という概念が存在しないかのように強引に市民を巻き込み、白か黒かの選択を迫る——そのことによってさらなる分断が生まれるのをわかっていながら。けれどもクリミアの歴史を考えるなら、クリミアほど「どこのものでもない」場所はない。そんなことは、ずっと昔から言われていたのに。少なくとも四〇年前にアクショーノフが『クリミア島』を書いたころから。

28 クリミアと創世主

ヤキとは、タタール語のヤフシ(良い)と英語のオッケイを掛け合わせた造語である。
――『クリミア島』ワシーリー・アクショーノフ

二〇一四年の春、ロシアでにわかにワシーリー・アクショーノフ[*48]の『クリミア島』ブームが巻き起こった。一九七七〜七九年に書かれた長編小説『クリミア島』が、昨今の情勢をあまりにも予言的に描いているというのだ。私はこの小説を知っていた。アクショーノフはもちろん、アントーノフ先生の授業の「常連」のひとりだったから。それで二〇一四年七月号の『現代思想』に長編小説『クリミア島』の論評を寄せた。『クリミア島』は、

*48――一九三二〜二〇〇九。カザン出身の作家。一九六〇年代から作品を発表し、ソ連の若者を中心に人気を集める。八〇年にアメリカへ亡命。ペレストロイカ期にソ連に戻るが、晩年は主にフランスで過ごした。

こんな小説だ――

舞台は執筆当時の現代。小説のなかでクリミアは半島ではなく完全な島であり、それによってなかば偶然にも赤軍の追撃を逃れた白軍の末裔が中心となって、欧米さながらの資本主義社会を築き繁栄している。だが主人公アンドレイ・ルチニコフをはじめとする〈運命共同連盟〉の活動家によって、クリミア島は「歴史を共有すべき国」ソヴィエトロシアへ、共和国としての編入を申し出る。つまり「半島ではなく島」という地理改変に基づく、歴史改変小説である。

一九七〇年代末の当時この本はソ連において出版できるはずもなく、アクショーノフは一九八〇年に亡命したのち、アメリカで初版を出した。ソ連では地下出版で読み継がれ、ペレストロイカとともにロシア国内でも読めるようになった伝説の本のひとつでもある。

ひとつの島が「大陸」もしくは「本国」と微妙な距離を保ちながら独自の道を行く――その姿にはさまざまなアナロジーが浮かびあがる。実際、小説内にも香港や台湾との比較や類似性の記述がみられる。また、主人公が恋人とともに憧れる国がニュージーランドであることも面白い。

一九八〇年代初頭（アントーノフ先生が二〇代で、地下出版を読み漁っていたころ）のソ連人が読んで夢中になった理由は、もっと表面的でわかりやすいところにもある。ひとつはソ連で不足していた「物品」の描写である。主人公はモスクワに行く前日、「モスクワにないもの」を慌てて買い集める——二枚刃のカミソリ、髭剃りムース、ジャズのレコード、粘着テープの「スコッチ」とウイスキーの「スコッチ」、パーカー社とモンブラン社のインク、フェルトペン、リップクリーム、コーヒーミル、雑誌『Vogue』『Playboy』『DownBeat』……。当時地下出版でこの作品を読んだエヴゲニー・ポポフは、「現代の若者からすればこんなものがなかったなんて信じられないだろうが、当時は本当になかった。商品名を並べられるだけでわくわくした」と語っている。

もうひとつが、当時のソ連では書けなかったような性描写を含むダイナミックなストーリー展開だ。主人公の父アルセーニイと一九歳の孫アントンの会話には、こんなエピソードが登場する——

「じいちゃん、いままでの人生でいちばん興奮したセックスのこと、訊いてもいい？」

「ああ——私がちょうどいまのお前くらいの年ごろのことだったな」アルセーニイは言った。

「どこでしたの？」

「列車のなかだよ」アルセーニイは少し笑うと、つい先ほど咳き込んだことも忘れて、再び煙草に火をつけた。「我らが白軍は、退陣……というよりただしっぽを巻いて逃げていただけなんだが、ともかく後方部隊は〔ネストル〕マフノにやられるし、モスクワ奪還にも失敗して、海を目指して逃げているところだった。中隊の兵士二五人くらいで、エリザヴェトグラード付近の列車に乗り込んだ。そしたらまあ、驚いたことに列車は女の子でいっぱいだった——女学校のお嬢様たちを乗せた列車だったんだ。かわいそうに、彼女たちは家族もお屋敷も失って、もう一年以上も白軍の後ろについて回っていた。身なりは汚れ、憔悴していたけれど、それでもやはり懐かしく身近な存在であることには変わりなかった——つい最近までこの子たちを追いかけ、一緒にワルツを踊り、スケートに誘っていたんだ。彼女たちも私たちを見てすぐに味方だとわかってくれたが、それでも怯えていたなあ——内戦が人を変えてしまっていた——そしてむろん、降伏する準備はできているようだった。最初のコンパートメントで、相手にする女の子を見つけたよ。顔も華奢な肩もとにかくかわいらしくて、私は頭がくらっとして——それでわかったんだ、この娘は私のものだって。どうしてあのときあんなに強気な行動に出られたのかはわからないが、私はすぐに彼女をデッキに誘った。彼女はためらいもせず立ちあがり、ついてきた。デッキには石炭の入った袋が積んであった。私はそこに、シーツ代わりに自分のコートを敷き、銃を脇に立て掛けた。コートの上に座らせると、彼女はスカートをまくった。あのときだ——あとにも先にも、あのときほど激しい性欲を感じたことはない。列車がちいさな駅に停車すると、知らない男たちがデッキに入ってこようとして、小窓のガラスを割ろうとしたが、私は銃を見せて脅しながら、彼女を愛し続けた。男たちはそれでようやく私たちが何をしているのか気づいて、窓ガラスの向こうで笑っていた。幸い、奴らの姿は彼女には見えていなかった——彼女は入口に背を向けて座っていたからね」

「それきり、その子には会わなかったの?」アントンは訊いた。

「ああ、長いことな」アルセーニイは答えた。「ずっと後になって——一九三一年に、ニースで再会したよ」

「どんな人になってた?」

「ほら、その人だよ」アルセーニイは妻の遺影を——アンドレイの母の写真を指した。

「ばあちゃん?!」アントンは叫んだ。「じいちゃん、ほんとうにその人が、ばあちゃんなの?」

「Sure」照れたアルセーニイは、なぜか英語で答えた。

史実としての革命後のロシアの混乱をふまえた話なのだが、微笑ましい結末がなんともアクショーノフらしい。

さてこの小説には、クリミアの地理的・歴史的背景をふまえた架空の思想がいくつか登場する。主人公ルチニコフが抱く〈運命共同連盟〉思想とは、独立し資本主義化していたクリミア島を「本来の祖国」ソヴィエトロシアに戻そうという運動で、「政党を問わず賛同者を募る」ことによって支持を広げていく。しかしクリミアでの支持率が高まっていくのと反比例するように、ルチニコフは孤独に陥る。友も恋人も失い、支持者からの理解さえも失う。世論調査で九割強という圧倒的な支持率は、決して彼の思想に対する理解を証明するものではなく、人々はあくまでも「歴史に残る壮大な出来事」に酔い、「偉大な大国」に幻想を抱いているだけである。さらに選挙が近づくと、島では「〈運命共同連盟〉を支持しないと当選できない」とまで言われるようになり、それまで運動の妨害を重ねてきた極右団体までもが連盟に賛同の意思を表明する。支持率の高さを誇り連盟の成功を喜ぶルチニコフに対し友人は「お前は巨大なサメのために泳がされている哀れなパイロットフィッシュでしかない」と罵る。

息子アントンの世代は〈ヤキ新民族主義〉に惹かれ、仲間たちと行動を共にするようになる。ヤキ主義は、いわゆる民族主義ではない。ヤキとは「タタール語のヤフシ（良い）と英語のオッケイを掛け合わせた造語」とされ、いまクリミアに住む人々をひとつの新しい民族として捉え、大国とは違う独自の未来を築くことを目標とした運動だった。彼らはロシア語とタタール語が混ざった「ヤキ語」を話し、ヤキ語の教科書やヤキ語文学を作ろうとしていた。だがこの運動は元々若者を中心としたサークル活動のようなものだったうえに、それがさらに次々とちいさなグループに分裂し、選挙まではすっかり力を失くしてしまう。

いざ「軍事祭典」という名目の軍事介入がはじまると、街はさらに混乱を極める。ソヴィエト空挺軍が上陸し、クリミアの基地を閉鎖しても、街の人々は「歴史的軍事祭典がはじまろうとしているのだから仕方ない」と、ソヴィエト軍歓迎モードを崩さない。オーケストラが鳴り響き、クリミアに存在するすべての政党の旗とソ連の旗が夜空に翻るなか、空挺軍の大型戦術輸送機からは次々に戦車やジープが降りてくる。一般車両の交通が極度に制限され、いたるところで渋滞が発生する。

その混乱に不安を煽られ、ルチニコフは父や息子がいまどうしているのかまったく知らないことに気づき、ようやくある単純な結論に辿り着く——彼らがいなくては、世界は精彩を欠いてしまう——そう思った瞬間、これまでこだわってきたものがすべて、古新聞の塊のように燃えあがり燃え尽きて、自分がひどく惨めな存在になったように感じる。

だがもはや悲劇は止められない。「軍事祭典」の規模は「チェコスロヴァキアに対する軍事介入の規模をはるかに超えて」いた。空からパラシュート部隊が降下し、遠方から戦車が前照灯を点し砲塔を構えて進んでくる。「ボリシェビキが六〇年もの間待ち続けた歴史的瞬間」が訪れた――ルチニコフの父アルセーニイをはじめとする数百人もの元白軍の老人たちが、迫り来る敵に「降伏」すると宣言し、白旗を振り錆びついた銃を戦車の前に投げ出す。しかしそのとき突然、武装した空挺軍兵士たちが顔を出し、人々に向かって銃撃する。

この少し前に、ルチニコフは以前関係を持ったクリスティーナと再会し、アムネスティ・インターナショナル会員となった彼女と行動を共にしていた。彼らはガソリンスタンドの行列に並ぶが、スタンドには長蛇の列ができている。行列に並ぶ人々は肩をすくめ「なんたって歴史的祝祭だから仕方ないね」と微笑み合っていた。クリスティーナもいつになく上機嫌で行列に並ぶ役を買って出る。だが彼女の番がきたとき、ロシア人民族主義者の若い男が横から入って給油ノズルを取りあげる。男はほかの人に注意されて逆上し、クリスティーナに目をつけて「外人娼婦にはうんざりだ！ロシア軍が来たからには、こういう女は片っ端から追い出してやる！」と叫んでガソリンを浴びせ車に乗り込むと、火をつけたマッチをクリスティーナめがけて投げ、走り去った。サービスステーションから出てきたルチニコフはクリスティーナを助けようとするが、苦痛が限度を超え陶酔状態に陥っていた彼女は声をたてて笑い逃げていく。肩と太ももを包む炎が自分を美しく彩り、目の前に眩しく輝く夢の世界が開けたと感じたクリスティーナは、スタンド裏手の花の咲き乱れる急斜面に身を投げ、火だるまになって転げ落ちていった。

その日は一日中よく晴れ、クリミアじゅうを明るい陽の光が照らしていた。ヘルソネス岬は青い海に燦然と輝いていた。ルチニコフはクリスティーナの遺体を聖堂へと運んだ。

息子のアントンは生まれた子供に祖父と同じ名前をつけ、妻と一緒にモーターボートで亡命を図った。彼は、祖父アルセーニイの死と、父の「一時的隔離」（事実上の逮捕）が決まったことをニュースで聞いて知っていた。

ウラジーミル聖堂の向こうの空に、祝祭の花火があがった。ルチニコフは「自分はなにをして生きてきたのか」と考える。心は不安に囚われ、輝く腕時計の文字盤を幾度も確かめていた。突然、近代技術の精密機械に何かが起きた――針が、長針も短針も秒針も、すべての針がまるで無意味なレースでもするかのように目にもとまらぬ速さで動きだし、表示窓の曜日も次から次へと変わっていく――月、火、水、木、金、土、日、月、火、水、木……。

小説はここで終わる。いま読むと、まるで主人公の抱いた不安が限りなく続く曜日の連なりを——時を超え、現代へと投げかけられているようにもみえる。

二〇一四年、ウクライナ政府とロシア政府の対立が深まるなか、ロシアは政府に批判的な知識人をこの小説さながらに「一時的に隔離」し、「ロシア系住民の保護」を理由に軍を送り、クリミアを併合した。そして迎えた五月九日の対独戦勝記念日には、プーチン大統領がクリミアを訪問し第二次世界大戦の勝利を祝う軍事パレードに参加し、「ファシストに対する勝利」を強調することでクリミア住民との歴史的つながりを主張した。モスクワでは、年々拡大してきた赤の広場での戦勝記念軍事パレードに、クリミア併合で「活躍」した特殊部隊が参加した。ラストシーンのルチニコフの「不安」が具現化したような惨事があちこちで相次ぐ。ウクライナ東部ではその数ヶ月前から衝突が絶えず、ミハイル・シーシキンは「誰が『民族主義者』で、誰が『民族主義の犠牲者』なのか、もはや誰にもわからない」混乱の危険性を指摘し、本来親しいはずの二国民をけしかけて故意に対立させている両政府の愚かさを訴えていた。

アクショーノフの『クリミア島』は幾度も時事性のある作品として注目されてきたが、これは偶然でもなければ予言の書でもない。大国主義、領土問題、軍事力による解決、独裁政治、排他的民族主義など数々の問題とそれをめぐる対立が、四〇年以上前に書かれた『クリミア島』のなかにも、現代のロシアやウクライナやクリミアにおいても深く根をはっている。そして社会情勢が不安定になるといくつもの問題が連続して浮上し、暴力の連鎖を生み、民間人が犠牲となる。アクショーノフは一九七〇年代末に正面からその問題を見据え、彼らしい筆で人々や思想を描いた。ペレストロイカを経てクリミアでもこの本が出版されることが決まった一九九一年の八月、彼はまえがきに次のようなメッセージを書いた――「いま、不可思議にも空想と現実が入り混じっていく。この小説が、単にダイナミックなストーリーで人々を魅了するだけでなく、かの地の歴史を――まるで創世主が多民族融合のために創ったかのようなクリミアという土地の歴史を、考えるうえでの役に立ってほしいと願っている」。

アクショーノフは二〇〇九年に他界したが、二〇一四年以降のロシア、ウクライナ、そしてクリミアを目の当たりにしたら、いったいどれほど胸を痛めただろう。せめてアクショーノフの、「創世主が多民族融合のために創ったかのような、クリミアの歴史を考えてほしい」という願いを叶えることはできないだろうか。いまからでも、少しずつでも。

29 灰色にもさまざまな色がある

どこか遠くで、大砲が轟いた。
――『灰色のミツバチ』アンドレイ・クルコフ

二〇一四年やそれ以降しばらくは日本のニュースでもウクライナについての報道を多くしていたから、当時のことを覚えている人もいるだろう。しかし次第に報道は減り、ウクライナの現状がどうなっているのかを詳しく知る人はあまりいないかもしれない。どの地域についてでもそうだが、とりわけ普段はあまり注目されないような国や地域についてのニュースというのは、いっときさかんに報道されても、激しい衝突がなくなるとぱたりと情報が途絶えてしまう。しかし当然ながら現地では生活が続いており、紛争や衝突は突然なくなっているわけではない。むしろ大きな出来事のあと、世界に注目されなくなったときにこそ、新たな不幸が口をあけていることも多い。そこにはひとりひとりの暮らしを詳細に知らなければ伝えようのない真実というものがあり、それを描きとる可能性を持つのが文学でもある。

アンドレイ・クルコフ[*49]はウクライナ育ちの作家で、これまでもウクライナを舞台にした作品を描いてきたが、二〇一八年に発表された『灰色のミツバチ』という作品は、世界から急速に忘れ去られていったある村を舞台とした長編だ。

主人公の養蜂家セルゲイ・セルゲーィチはウクライナ東部に暮らしている。ドンバスでの紛争が続くなか、いわゆる「グレーゾーン」に留まり続ける数少ない住人である。住み慣れたスタログラドフカ村は、ウクライナ側も親ロシア派側も統括できずにいる地域だ。激戦区ではないにせよ、すでに多くの住民が村をあとにしている。いまだに村に留まっているのは彼と、幼なじみのけんか友達パーシカだけだ。セルゲイの妻は紛争がはじまるより前に娘を連れて出ていってしまい、彼はミツバチとともに村に取り残されていた。そうして、グレーゾーンで暮らす数年の年月が過ぎた。過ぎゆく日々はいつも似通っていて、遠く響く銃声さえもがスタログラドフカ村の静寂の一部になっていた。

*49――一九六一～。ペテルブルグ近郊に生まれるが、幼少期にウクライナに移住。邦訳は『ペンギンの憂鬱』沼野恭子訳、二〇〇四年、『大統領の最後の恋』前田和泉訳、二〇〇六年。ともに新潮社。

セルゲイは紛争の対立には関与したくない。名前をもじって「灰色（セールィ）」と呼ばれている彼は、その名のとおり白にも黒にもなりたくないのだ。しかしときに世の中は「灰色」のままでいることを拒む。幼なじみのパーシカとの関係は、社会が平穏なうちはほほえましい「けんか友達」だった。しかしひとたび紛争の対立が介入すれば、二人のあいだに修復し難い亀裂が生まれる。

村の電気は三年前から止まっており、セルゲイは薪ストーブで暖をとり、湯を沸かして生活している。新鮮な食料や卵はなかなか手に入らない。あるときからウクライナの兵士がセルゲイのところにやってきて、食料をくれたり、携帯電話を充電してきてくれたりするようになる。だがその後、パーシカがウォッカを手土産にロシア陣営の兵士を連れてセルゲイの家に遊びにきたのをきっかけに、セルゲイとパーシカは大喧嘩をしてしまう。それまでぼんやりとしていた紛争の対立が、より身近なものになっていく。

セルゲイは暖かい季節を選んで村を去る決意をする。車の後方にミツバチの巣を積んだ荷台をとりつけて牽引し、道中、検問所を通るたびに、「ミツバチが銃撃戦を怖がるから、安全な場所で休ませる」と説明しながら南を目指す。もしあの村でミツバチが銃の音を怖がって逃げてしまっても、ミツバチは五キロ以上の距離を飛べない。ミツバチを紛争から逃れさせ、アカシアの花咲く地へと連れていかなければならないのだ。紛争地帯を抜けたセルゲイは、青年のころに戻ったような自由と清々しさを感じた。
主人公は旅をする――ザポロージエのちいさな村、そしてクリミアへ。テントを張り寝袋で寝て、身体が痛むときはミツバチの巣箱の上に寝て回復する（なんと実際にこういう健康法があるらしい）。セルゲイの世界はミツバチを中心に回っているが、その心は閉ざされてはいない。ミツバチとともに飛び回りながら、ロシア人ともウクライナ人ともクリミアタタールの人々とも軽々と交流し、多くの人から好感を持たれる。ところが、どこにでも「灰色」に無関心ではいられない人がいる。そういった人々にとってセルゲイは常に余所者であり、彼らに警戒されたり疎まれたりするのを敏感に察知するセルゲイは、どこへ行っても結局は居場所を見つけられずに、ついには故郷のグレーゾーンへと帰っていく。

いつもミツバチのことばかり考えている主人公はほほえましい人柄だが、この話の内容自体は作者クルコフが実際にグレーゾーンへと何度も足を運び、取材をして書いたもので、作中には現実のウクライナ東部の問題を鋭く描き出す描写も多い。
これは、私にとっても身近な話だった。大学の友人マルーシャの祖父母もウクライナ東部に住んでいる。激戦区からは少し離れていたが、紛争が激しさを増していた二〇一四年からはモスクワ郊外にあるマルーシャの実家に疎開してきていた。ところがしばらくして以前よりは危険ではなくなると、二人は住み慣れたウクライナへと帰っていった。その後もときには銃声が響くけれども、そんなことも日常となっていったという。

かろうじて自分が即座に標的になるわけではないとはいえ、どれほどかかわるまいとしてもすぐ近くで争いが起きている限り危険なことに間違いはない地域に、彼らはどうして帰っていくのか。しかし紛争は、紛争地域だけで起きているわけではない。モスクワにいても、ただでさえそこに暮らす人々は「白か黒か」を迫られ、分断を余儀なくされている。そこへグレーゾーンの人々がくれば、紛争に対しなにかしらの立場を主張する人にとっては容易に争いの種になりかねない。『灰色のミツバチ』の主人公セルゲイがどこにいてもいたたまれなくなったのも、やはりそのためだった。その苦しさが、果たしてどのくらい伝わるだろうか——出身地を理由に、自分という存在が、つい最近まで親しかった人々の争いを誘発させてしまうつらさが。

二〇一九年、ドンバスのローカルニュースで一枚の写真が紹介されていた。激戦区から少し離れた居住区の外壁に、大きくこんな文字が書かれている——「ここには人が住んでいます」。文字はたったそれだけだが、そこには「だからどうかここで射撃や強奪や破壊行為をしないでください」という切実なメッセージが込められている。現地の集落の多くはいまだに「グレーゾーン」のままだ。インフラが崩壊し、地方自治体も機能せず、電気も病院もない地域だが、そこを離れられない人々がいる。高齢者や体の不自由な人も多い。世界のニュースが報じなくなった灰色の世界で、ただ日々を生きようとする人々。その灰色はしかし、単純なひとつの色ではない。白か黒かを迫らずにそれぞれの灰色に目を凝らすことなくしては、対立は終わらないのだろう。

30 大切な内緒話

そして時間は路面電車の線路が続いていくのと同じ方向へ向かって
まっすぐに進み、その先で我々と合流するでしょう。
——『手紙』ミハイル・シーシキン

日本へ帰ってきて大学院に入ってから、「初めから日本の院に入るつもりで計画的にロシアへ行ったのか」と訊かれたことが何度かあるが、そんなことはない。初めてロシアへ渡ったとき、私はなにも考えていなかった。ただ勉強がしたかった。文学が好きだった。そのためにすべてを捧げられる崖っぷちの環境を探していた。思えばたいへんなこともあったが、文学大学は総じて大好きだった。「あなたは文学大学に行くべきだ」と強く勧めてくれたエレーナ先生には感謝してもしきれない。日本の大学院に入るという選択肢はなくはなかったが、それが決定的になったのは三年次、最終学年に向けて卒業論文のテーマを考えていたときだった。当初は批評史のレポートを発展させたテーマを考えていて、歴史図書館に通い資料を集めていた。ところが、テーマの決定に際しては学部長の許可がいるのだが、その許可が下りない。学部長の許可など形式的なものだと思っていた私にとっては青天の霹靂だった。おまけにその理由を聞いてさらに驚いた——「政治的だ」というのだ。「もっと文学的なテーマにしなさい」と。批評史の授業を聴いて考えたことなのだから当然、アントーノフ先生が授業で扱っていたテーマなのだが、それが却下されるとはどういうことか。それにどう考えたって「政治的」を理由に学生の卒論テーマを却下するというその行為のほうが、よほど政治的である。けれども決定は覆せなかった。のちにアントーノフ先生が批評史の講義から降ろされているのを見たとき、私はこのときのことを思い出した。自身の研究に最も近く大切にしていたあの授業の担当を、先生が自ら降りたとは思えなかった。

私はこれがだいぶこたえた。ほかのことならなんでも耐えられるが、論文のテーマを自ら決めることが許されず、これまでまったくかかわりのなかった、ただ立場が偉いだけの先生の一存で却下されるのであれば、研究をする意味がない。卒論がこれでは先が思いやられる。

日本の大学院を調べると沼野充義先生がいた。ロシア語をはじめたときにラジオでオクジャワをやっていたあの先生だ。外国語文献図書館にあった沼野先生の著書を読むと、日本ではほとんど紹介されていないような作家や作品を数多く紹介している。それらの著書を読み、私は確信した。この先生は絶対に、テーマ性によって論文を却下することなどない。

そうとなれば残された一年はさらに貴重だ。卒論は、ブロークの詩を中心とした詩の翻訳法について書くことにした。こちらもガスパーロフを読んで以来ずっとやりたかったことだから悪くはない。かといって批評史のテーマを捨てるつもりはまったくなかった。べつに、形式としてどちらが卒論として認められるかというだけの問題だ。両方書いて、片方は卒論にして、もう片方は批評史の授業でちょっと力の入ったレポートとしてアントーノフ先生に出せばいい。

それからは、マーシャに「ユリ、ほとんど歴史図書館に住んでるみたい」と言われるほど、すっかりおなじみになった図書館に通って資料を集め、残り少ない授業を名残惜しい気持ちで聴いた。寮の暗いエレベーターでさえ本を手放さずに読んでいると、乗ってきた知らない学生に「あ、勉強しかしない日本人の子がいるって聞いたけど、君のこと?」と話しかけられた。まったく、創作科の子たちはあいかわらずである。こんどは誰かの作品に、そんな奇妙な日本人が登場しているのだろうか。まあでも、その人物像なら文句は言えない。いまになって最終学年のことを書こうとしても、あまりにも大学と図書館にしか行っていなくて、どう書いていいかわからないくらいなんだから。当時の日記もあまり多くを語らずに、ぽつりと「学問の子になりたい」などと書いている。鉄腕アトムか？

　ところが最大限の力を込めて完成したレポートをアントーノフ先生に提出してから評価を待っていたしばらくのあいだ、私は一転して日記にとりたてて意味のない記述を膨大に書き連ねている。不安だったのだ。そのレポートは、先生がずっとこだわっていたある概念についてまとめたもので、いわば先生の専門そのものに近いテーマだった。ほかの授業でもレポート提出はあったが、私も含め、学生たちは知っていた——安易にそれぞれの先生の専門に近いレポートを書くべきではない。もちろん専門だからこそ喜んできちんと見て細かい点まで添削してくれる先生もいるにはいるが（文体論の教授がそうだった）、専門が近いと必ず些細な見解の違いを見つけては腹をたてる、いまから思えば実におとなげない先生もいた（美学史の先生がそうだった）。

　アントーノフ先生がそんなことで怒るとはもちろん思っていなかったが、私が恐れていたのは、まるで子供が書いたもののように「はい、よくできてますね」と評価されることだった。先生はレポートの評価でも試験のときも、学ぶつもりのない学生に対しては厳しい評価をするのではなく、すっと興味をなくすだけだった。あれほど資料調査をしておきながら「学ぶつもりがない」と思われるのを恐れていたのはいま思えばおかしいのだが、私はそれが本気で怖かった。それで心構えをするために、当時の日記に、考えうるさまざまな先生の反応を思いつく限り書き連ね、どんなことを言われようとも（あるいはまったく無視されても）、傷ついてなんかやらないぞ、と考えていたのである。我ながらほほえましいような、恐ろしいような。それくらい、あのときの私はすべてをそのレポートにかけていた。

ところが、先生の反応は私の予想をはるかに超えていた。ひととおりレポートを返し終わったあと、私のレポートについては話があるから後日にしよう、というのである。ようやく結果が出ると思ったのに宙に浮いたような状態になり、私は信じられない気持ちでその日を待った。だってわざわざ先生が機会を作ってくれたのだ。ほかの学生のレポートはすんなり返したのに、後日だなんて。すごい。でも、どうして授業後とかじゃなくまったく授業のない別の日なんだろう。ひょっとしてあのレポートになにか致命的におかしな点があって、それを解説するのにすごく時間がかかるとか、あるいは剽窃を疑われているとか（その前年――つまりは例の恋愛事件の問題児たちだが、そのなかに剽窃をした学生が複数いたらしく、先生はこのことにひどく胸を痛めていた）、そういうことなのか。いや、さすがにそんなことはない。きっと、評価してくれたのだ。少なくとも、自分の力で資料を集めて論じようとしたことを。

約束の日、以前よく会っていたあの廊下の窓辺で会うと、先生は私を見て、「行きましょう」とだけ声をかけ、校舎の外へ出た。ついていくと中庭の横を抜け、並木路側のちいさな校舎に入っていく。こちらの校舎は主に創作科のゼミなどがおこなわれる場所で、入口が狭くて薄暗く、建物内はいつもの校舎よりさらに迷路じみている。先生は一階の端にある、普段はあまり使われていない教室に入った。ドアの前の廊下はかなり薄暗いが、入ってみると南向きの窓から並木路の光が差し込む明るい教室だった。私が入ると、背後で先生が鍵を閉めた。え？

鍵って、閉めるものだっけ。レポートの返却のために。いや、そんな話は聞いたことがない。ひょっとしてドアが壊れていて、鍵を閉めないと勝手に開いてしまうのかもしれない。違う、この教室のドアはいつも普通に閉まっていた。それに、仮にもし開いてしまうとしても開けておけばいいじゃないか。じゃあ先生はなにか意図があって鍵を閉めたのか。たぶん——そうだ。去年の噂のせいだろうか、いや、あれはほんとうにただの噂だったのか、私はなにかを把握しそこねていたんじゃないか。

先生が教室の鍵（ドアノブについているような鍵ではなく、あのロシアの重たい鍵で閉める錠だ）を閉めるという想定外の展開に、私は頭がくらくらするほど目まぐるしくそんなことを考えた。しかし先生は教卓の傍の椅子に座りレポートを取りだすと、静かに話しはじめた。

それは、私が日記に書き連ねたどんな予想よりすばらしい講評だった。先生はまずテーマの選択について、資料の扱いかたや切りとりかたについて、いいところや課題点を述べ、それからひとつひとつの事例についてゆっくりと、解釈の妥当性を検証していく。先生の自説や周辺のテーマに触れるのではなく、ただ私の書いたものを深く読み込み、私がなにを検証しているのかを確認し、当時そのテクストはどう捉えられていたかを補足する。資料はすべてなるべく平等に扱ったつもりだったが、先生は私がどの資料や文献をいちばん読み込んでいるかも見抜き、そこを褒めてくれた。それから、このテーマを発展させてこの先の研究を進めた場合に予測される課題をひととおり吟味し、最後に先生は、たいへんすばらしいレポートでした、と言って言葉を区切った。子供扱いも留学生扱いもせずに、それどころかほかの学生とは違ってわざわざ別の日に時間を作り、まるで研究者同士のように対等に扱ってくれたことが、ただひたすら嬉しかった。それまでほかの授業でレポートを褒められたことはあっても、こんなふうに扱われたのは初めてだった。先生の背後の並木路に揺れる、ここ数日でいっせいに緑を増した木々が、とりわけきれいに輝いて見えた。

ところがそのとき、さっきまで穏やかに話していた先生が不意に泣きそうな声で「あなたはすぐに発ってしまうんですか」と訊いた。情報だけとればごく普通のことを訊いているはずなのにまるでなにか思い切ったことでも言ったかのような先生の様子に戸惑い、その質問の意味が捉えきれず、私は黙ってしまった。世間話として訊いているのだろうか。だとすればきっとなにか言葉を続けてくれるはずだ。けれども先生はそれきり黙って下を向いている。なんだ。これはいったい、なにが起こってるんだ。急激に胸が苦しくなる。先生がいつか話した言葉を唐突に思い出す――「プーシキンの『ポルタワ』のマリヤがどうして老いたマゼッパを愛せたのか、ようやくわかった気がする」……。あのときはどうしてあんな話をしたんだっけ。私はようやく「あと二ヶ月です」とだけ答えたが、ほかになにを言えばいいのだろう。先生と話したいことはいくらでもある。それこそ二ヶ月でも、何年でも、何十年でも話していたいくらいある。でもだからこそ、言葉なんかひとつも出てこない。初めて講義を聴いたあのときから、先生は私にとって――私にとって、なんだったのだろう。なにって、先生は先生だ。私にとって学ぶことそのもののような存在だった。じゃあ学ぶことってなんだろう。私はそれすらも先生から教わったのだ。それまで勉強をしたことがなかったわけじゃないが、それ以前の「学ぶこと」と、先生に会ってからのそれは根本的に違う。これまで生きてきて、こんなに真剣に学んだことも、学ぶことを人生そのものと感じ、そんな日々が永遠に続くのを願ったこともなかった。だから先生が私にとってなにかという問いには、答えがないのだ。仮に先生が私にとって「学ぶこと」だとして、その肝心の「学ぶ」という概念の発端も先生なのだから、発端と帰結はそこでねじれた輪となり完結していて、一切の裏づけがない。つまりは「学ぶ」という概念のかわりになにかほかの、考えつく限りのありとあらゆる概念を入れたとしてもすべてが正解であり、すなわちすべてが意味のない答えになってしまう。

ただ間違いなくわかるのは、私は目の前にいるこの人に、これから生きていくうえで生涯大切にするもの、自分の生きかたにとっていちばん大切ななにかをもらったということだった。それも、ひとつではなく、数えきれないほどの、抱えきれないほどの。

私たちはずいぶんとそのまま黙っていた。ひどく胸が苦しく、まだ肌寒いはずの教室がやけに暑かった。いかなる言葉も言えないのに、黙っていればいるほど、その沈黙そのものがなにかを証明してやるぞとばかりに存在感を膨らませていき、しまいに沈黙は実体化し、心の内で悪びれもせずに語りだす——「どうしてこんなことになっているんだろうねえ。えっ、まさかこの期に及んでわからないのか。鍵のかかった教室で、二人してただひたすら黙って下を向いているなんて。ばかだなあ、俺はずっと前から気づいていたよ、最初からひとつひとつ説明してやろうか?」と。違う。そんなことを考えている場合じゃない。なにか、言わなきゃ……。

掃除の人が廊下を拭くモップの音が遠くからかすかに響いてきたとき、先生はついに顔をあげた。そうして「あなたのご活躍を祈っています」と、かすれた声で告げた。

先生は鍵をあけて私をひとり外に出し、校舎に残った。ついさっきは窓の外に陽がさしていたはずなのに、もう夕方だった。そんなに長くあの教室にいたのか。いや、そんなことはどうでもいい、なにかたいへんなことが起きてしまった気がするが、なにも起きてなどいない。けれどもあれほど心構えをしていたレポートのことではなく、別のなにかがあったのは確かだ。私は放心したまま寮に帰った。

あとになって幾度も、もしあのときの教室に戻れるのなら——と考えた。だって、あれだけ時間があったのに、私は感謝の言葉さえろくに言わなかったのだ。あんなにたくさんのものを得ておきながらなんて恩知らずなんだろう、と。けれどもいつ想像してみても、想像のなかの自分もやはり、なにも言えない。ひたすら言葉の大切さを教わってきた大学生活の最後の最後で、言葉があまりにも無力になる瞬間に出会ってしまうなんて皮肉だけれど、ともすると運命的な現象だったのかもしれない。なにも言えなかったのは、言うべきことがなかったからではない。ただ、どの言葉も心を表しはしなかったからだ。そして言葉が心を超えないことを証明してしまうような瞬間が人生のどこかにあるからこそ、人はどうしてその瞬間が生まれたのかを少しでも伝えるために、長い長い叙述を、本を、作りだしてきたのだ。

そうして二〇二一年になったいま、この叙述をここまで書き終え、事実に誤りはないか確認するために大学や寮のデータを調べていたとき——先生の死後しばらくして遺稿が発表されていることに気づいた。

それは遺稿といっても亡くなる直前ではなく、私が卒業してから二年後に書かれたもので、小説というよりは内面の独白であり、一人称で語る先生は名前も父称も本名のままで、そして——私がいた。もう解明されないはずだったたくさんの謎が一気に解けていく——執筆から一〇年、亡くなって三年になるいまになって、先生の声は私に届いた。その叙述のなかで私は表向きのテーマではなく途中で唐突に登場し、それ以降の語り手はどうしても表題のテーマから遠のき、回想のなかに戻っていってしまう。最後には表題そのものが崩れ去り、ただ思い出だけが残る。話のジャンルや趣はまったく違うのに、その形式はいま私がここに書いたものとよく似ていた。ものの書きかただって私は先生に教わったようなものだから、当然の帰結なのだろうか。それとも——いまの私にはわからない。

先生はあいかわらず徹底的に正直で、自らのテクストに対して、自分に対して、誠実すぎるほど誠実だった。だからこそ、すべてを先生の目から見たその衝撃が胸に重く響く。決して届かないはずの手紙を受け取った気分だ。

卒業したときの、東京に帰ってくる直前の記憶がよみがえる——

その日私はもう夏休みに入っていた大学に行き、誰もいない教室に入って席についた。批評史の授業がおこなわれていたあの二階の教室だ。私はどうしても、人のいないときのこの教室を見ておきたかった。そうして記憶のおもむくままに、先生の授業のことも、決まった時刻に会う約束をしていたころのことも、あの事件のことも思い出し、それから歴史図書館での調査も、休憩室で交わした会話も、休日に近所で会ったときのことも、レポートを書いていたときのことも——先生のいた生活をひとつずつ思い出した。

私はきっと、いつでもふたたびここへ帰ってくる。モスクワへ来れば実際に、そうでないときには心のなかにあるこの場所へ。

そのとき、私の体になにかが起こった。おなかのあたりがきゅっとして、全身が急に温かくなり、幸福な感覚が指先まで伝っていくのを感じる。自分の鼓動が聴こえる。似た感覚をいつか味わったことがあった。ああそうだ、ロシア語をやりはじめて数年目のことだ。でもあのときと違ってはっきりと「温かい」という感覚がある。そしてなにより、まったく比べものにならないくらい、強い。

そうしてようやく、先生に出会ってからの「学び」がそれまでとどう違い、自分の身になにが起きたのかを知った。それは私にとって、少しずつ生まれ変わることだった。新しいことを知るたびに、それは単なる知識ではなく、細胞がひとつひとつ新しくなるような喜びだった。浮き輪につかまって海に入ったようなかつての心もとない学びではなく、いくらひとりでいても孤独ではない安心感があった——だって、私はひとりではなかった。そしてこの先もずっと、永久にひとりになることはない。いつのまにか、かつての自分といまの自分はまったくの別人というくらい、私の内面は変わっていた。私を変えた人はこれからもずっと、私を構成する最も重要な要素であり続けるだろう。

からっぽの教室で、私は体から溢れ出るようなその実感を、その「答え」を、確かめるようになぞった——私は確かにいま、新しく生まれたのだと。

二〇二一年五月一九日　東京

言葉を補う光を求めて——あとがきに代えて

眠りなさい　新しい生のために
愛が君を　よみがえらせるときまで
——アレクサンドル・ブローク

二〇二一年の初夏、私は早稲田大学図書館の雑誌書庫で古新聞を片っぱしから閲覧していた。もういちど確認しておきたいことがいくつかあった。まずは冒頭に描いたソ連の崩壊が当時の日本でどう報道されていたのか。一九九一年一二月二二日の朝刊一面は、朝日、毎日、読売ともに「ソ連邦」の「消滅」だ。いまではほぼ使われなくなった「消滅」という表現や、記事に注記された「ソ連はなくなったが、国連にはソ連という呼称がまだ存在しているので、しばらくは『ソ連』『旧ソ連』の表記を併用する」などの補足からも、時代の空気がうかがえる。約一一年後の二〇〇三年一月には、コペンハーゲンの大雪で飛行機が止まり、日本のスキー選手団のスキー板の到着がかなり遅れたという記事があった。あの年の大雪で困ったのは私だけではなかったらしい。二〇〇四年以降のモスクワのテロのニュースも複数あり、北オセチアのベスラン学校占拠事件は数日間大きく紙面を騒がせている。日本ではその後の報道は少ないが、ロシアの独立系新聞を調べると、二〇一七年にストラスブールの欧州人権裁判所が「ベスラン母の会」からの訴えを検証し、当時のロシア当局が人命保護を第一にした対応を怠った事実を確認しており、一三年が経過してもなお後遺症に苦しむ被害者や、対応のずさんさに傷つけられている遺族の姿が浮かんでくる。そして二〇一四年、「ロシア、クリミア掌握狙う」の報道は、まだ記憶に新しい。

次にひっぱりだしてきたのはもっと古い、大正期以降の新聞だ。ソ連の歴史は当時の日本にどう報じられていたのか。文学大学で教わってきたような文化面の記事は、とりわけ一九二〇年代あたりを見るとなかなかバラエティに富んでいる。エセーニンについては生前一九二二年の朝日新聞で尾瀬敬止が「勞農詩人エセーニン」紹介の連載をし、死後には「綠のロシヤの死」として茂森唯士が評論のようなものを書いている。一九二三年には米川正夫がブロークの抒情詩劇について四回にわたり連載で紹介し、ブリューソフの死んだ一九二四年には「露國新詩壇の元老」への追悼文が載り、ゴーリキーの晩年には「温い大きな農夫」の闘病について昇曙夢が「痛心」の記事を書いている。その一方で時代を通じて目に留まるのは、やはり国際情勢のニュースに登場する地名の数々だ——ユーリャの故郷ヴィーボルグを探すと、ロシア革命後の一九一八年五月三日の新聞には「芬蘭(フィンランド)軍ヴィボルグ占領」の見出しが、独ソ戦前夜の一九四〇年三月三日には「ソ聯軍ヴイボルグに突入」の記事があり、歴史の節目節目にたいへんな局面を迎えてきたあの街の様子が紙面の片隅で伝えられている。ウクライナ、クリミア、セヴァストーポリといった地域もやはり、世界の情勢が不安定になるたびにさまざまな危機にさらされている。一九四一年六月二四日「獨機オデッサ猛爆」「當面の目標ハリコフ」、一九四二年六月一一日「セバストポリ軍港獨軍の猛攻下に危し、クリミア唯一の赤軍據點」……。

歴史の転換期にはいくつもの名前がある。崩壊。紛争。独立。統合。歴史のなかで大きな動きとされるのは国や連合国家の争いや事件の数々である。私たちはそれを報道で知り、それがいずれ歴史となり教科書に記され、子供たちが学校で学んでいく。人は知識を得ることにより、世界のどこでなにが起こってきたのかを「知って」いる。けれどもなにを知っているというのだろう。

私は無力だった。サーカスの子供たちに対して、ドイツとロシアの狭間で悩むインガに対して、毎日のように警察に尋問され泣いていたイラン人の留学生に対して、目の前で起きていく犯罪や民族間の争いに対して、兄弟的な国家だったはずのロシアとウクライナの紛争に対して、すぐ近くにいたはずのマーシャやアントーノフ先生に対してさえ——ここに書ききれなかったたくさんの思い出のなかで、私はいくら必死で学んでもただひたすら無知で無力だった。いま思い返してもなにもかもすべてに対して「なにもできなかった」という無念な思いに押しつぶされそうになる。

けれども私が無力でなかった唯一の時間がある。彼らとともに歌をうたい詩を読み、小説の引用や文体模倣をして、笑ったり泣いたりしていたその瞬間——それは文学を学ぶことなしには得られなかった心の交流であり、魂の出会いだった。教科書に書かれるような大きな話題に対していかに無力でも、それぞれの瞬間に私たちをつなぐちいさな言葉はいつも文学のなかに溢れていた。

人には言葉を学ぶ権利があり、その言葉を用いて世界のどこの人とでも対話をする可能性を持って生きている。しかし私たちは与えられたその膨大な機会のなかで、どうしたら「人と人を分断する」言葉ではなく「つなぐ」言葉を選んでいけるのか——その判断は、それぞれの言葉がいかなる文脈のなかで用いられてきたのかを学ぶことなしには下すことができない。

文学の存在意義さえわからない政治家や批評家もどきが世界中で文学を軽視しはじめる時代というものがある。おかしいくらいに歴史のなかで繰り返されてきた現象なのに、さも新しいことをいうかのように文学不要論を披露する彼らは、本を丁寧に読まないがゆえに知らないのだ——これまでいかに彼らとよく似た滑稽な人物が世界じゅうの文学作品に描かれてきたのかも、どれほど陳腐な主張をしているのかも。

統計や概要、数十文字や数百文字で伝達される情報や主張、歴史のさまざまな局面につけられた名前の羅列は、思考を誘うための標識や看板の役割は果たせても、思考そのものにとってかわりはしない。私たちは日々そういった無数の言葉を受けとめながら、常に文脈を補うことで思考を成りたたせている。文脈を補うことができなければ情報は単なる記号のまま、一時的に記憶されては消えていく。

文字が記号のままではなく人の思考に近づくために、これまで世界中の人々がそれぞれに想像を絶するような困難をくぐり抜けて、いま文学作品と呼ばれている本の数々を生み出してきた。だから文学が歩んできた道は人と人との文脈をつなぐための足跡であり、記号から思考へと続く光でもある。もしいま世界にその光が見えなくなっている人が多いのであれば、それは文学が不要なためではなく、決定的に不足している証拠であろう。

いま世界で記号を文脈へとつなごうとしているすべての光に、そして、ある場所で生まれた光をもうひとつの場所に移し灯そうとしているすべての思考と尽力に、心からの敬意を込めて。

＊　＊　＊

最後になりましたが、この本をここまで読んでくださったすべての方々、翻訳した本に感想や激励のお手紙をくださる方々、みなさまのおかげでこの本ができました。ほんとうにありがとうございます。そしてそして、出版に際してたいへんお世話になりました編集者の穂原俊二さんに、心より感謝を申し上げます。

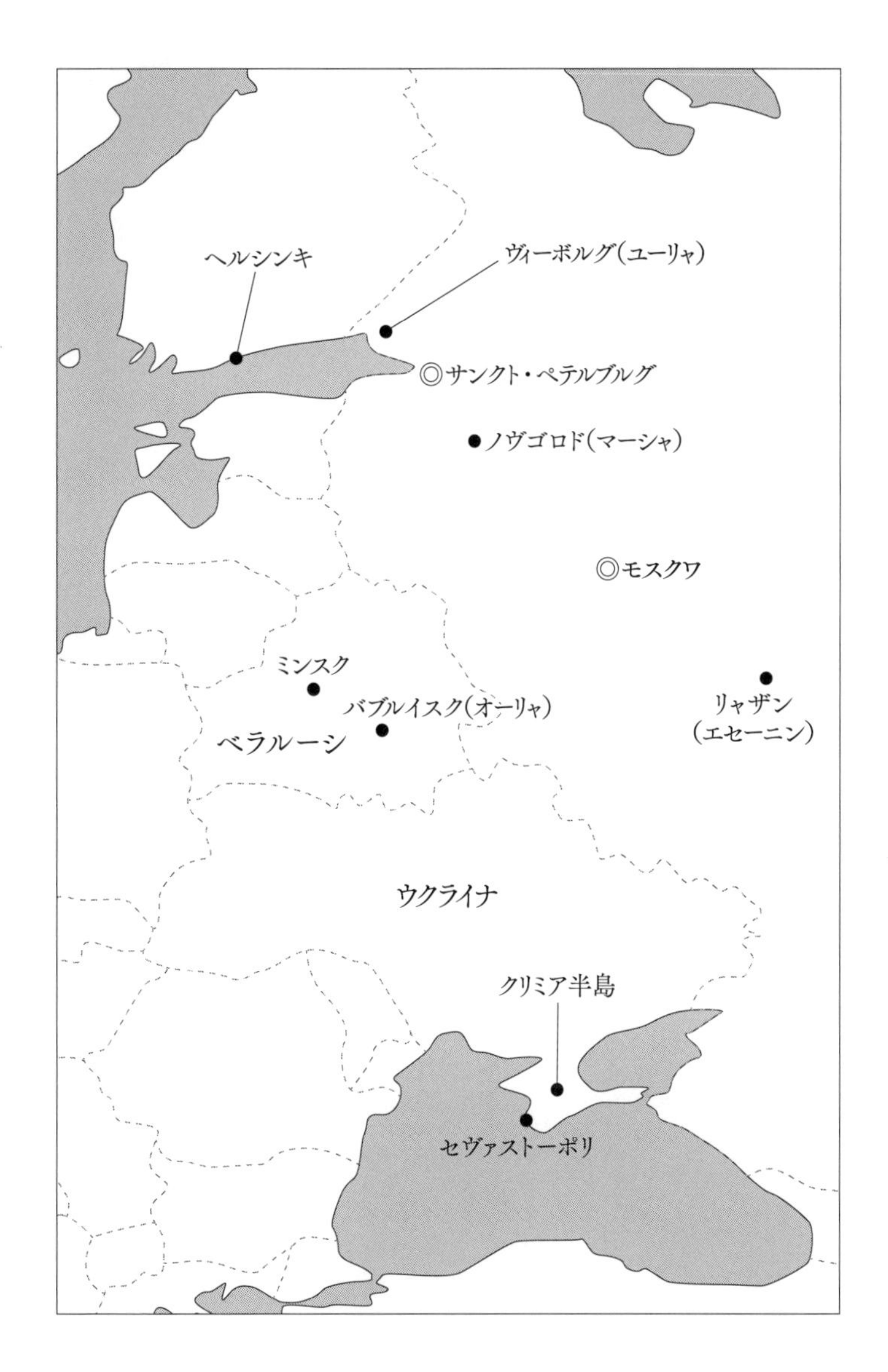
ヘルシンキ
ヴィーボルグ(ユーリャ)
◎サンクト・ペテルブルグ
●ノヴゴロド(マーシャ)
◎モスクワ
ミンスク
バブルイスク(オーリャ)
ベラルーシ
リャザン
(エセーニン)
ウクライナ
クリミア半島
セヴァストーポリ

1 ウラジーミル
2 イヴァノヴォ
3 マリ・エル共和国
4 コミ・ペルミャク自治管区
5 リャザン
6 ニジニ・ノヴゴロド
7 モルドヴィア共和国
8 チュヴァシ共和国
9 ウドムルト共和国
10 トゥーラ
11 オリョール
12 カルーガ
13 アディゲ共和国
14 カラチャイ・チェルケス共和国
15 カバルダ・バルカル共和国
16 北オセチア共和国
17 チェチェン共和国
18 イングーシ共和国
19 ダゲスタン共和国
20 スタヴロポリ地方
チュクチ自治管区
コリャーク自治管区
マガダン
タイミル自治管区
サハ共和国（ヤクート共和国）
エヴェンキ自治管区
サハリン
アムール
ハバロフスク地方
クラスノヤルスク地方
イルクーツク
ブリヤート共和国
ユダヤ自治州
ウスチオルダ・ブリヤート自治管区
沿海地方（プリモルスキー地方）
ハカス共和国
アガ・ブリヤート自治管区
トゥヴァ共和国
モンゴル
朝鮮民主主義人民共和国
大韓民国
中華人民共和国

ロシア連邦
0
1000km
1/7,579,000
ノルウェー
デンマーク
スウェーデン
ドイツ
フィンランド
ムルマンスク
エストニア
カリニングラード
ラトビア
ポーランド
リトアニア
カレリア共和国
レニングラード
プスコフ
ノヴゴロド
アルハンゲリスク
ネネツ自治管区
ベラルーシ
トヴェリ
ヴォログダ
コミ共和国
スモレンスク
ヤロスラヴリ
ヤマロ・ネネツ自治管区
ブリャンスク
12
モスクワ
コストロマ
2
ルーマニア
1
10
11
モルドバ
ウクライナ
6
キーロフ
4
ハンティ・マンシ自治管区
5
クルスク
リペツク
3
7
8
9
ペルミ
ベルゴロド
タンボフ
タタルスタン共和国
ヴォロネジ
ペンザ
ウリヤノフスク
スヴェルドロフスク
サラトフ
サマラ
バシコルトスタン共和国
ロストフ
チュメニ
クラスノダル地方
ヴォルゴグラード
クルガン
オレンブルク
チェリャビンスク
オムスク
13
カルムィク共和国
20
14
アストラハン
15
18
16
17
トルコ
グルジア
19
カザフスタン
アルメニア
シリア
アゼルバイジャン
ウズベキスタン
イラク
トルクメニスタン
キルギス
イラン
クウェート

本書に登場する書籍一覧（日本語に翻訳されているもののみ。登場順）

・『酔どれ列車、モスクワ発ペトゥシキ行』ヴェネディクト・エロフェーエフ、安岡治子訳、国書刊行会、一九九六年
・『クロイツェル・ソナタ』レフ・トルストイ、米川正夫訳、岩波文庫、一九五七年
・『ロリータ』ウラジーミル・ナボコフ、若島正訳、新潮文庫、二〇〇六年
・『ルージン・ディフェンス　密偵』ウラジーミル・ナボコフ、杉本一直・秋草俊一郎訳、新潮社、二〇一八年
・『陽気なお葬式』リュドミラ・ウリツカヤ、奈倉有里訳、新潮社、二〇一六年
・『罪と罰』（上・中・下）フョードル・ドストエフスキー、江川卓訳、岩波文庫、一九九九～二〇〇〇年
・『巨匠とマルガリータ』（上・下）ミハイル・ブルガーコフ、水野忠夫訳、岩波文庫、二〇一五年
・『新版 文学とは何か――現代批評理論への招待』テリー・イーグルトン、大橋洋一訳、岩波書店、一九九七年（のち文庫化）
・『新文学入門――T・イーグルトン『文学とは何か』を読む』大橋洋一、岩波書店、一九九五年
・『文学部唯野教授』筒井康隆、岩波現代文庫、二〇〇〇年
・『マリーナ・ツヴェターエワ』前田和泉、未知谷、二〇〇六年
・『外套・鼻』ニコライ・ゴーゴリ、平井肇訳、岩波文庫、二〇〇六年
・『羅生門・鼻・芋粥・偸盗』芥川竜之介、岩波文庫、二〇〇二年

・『理不尽ゲーム』サーシャ・フィリペンコ、奈倉有里訳、集英社、二〇二一年
・『こころ』夏目漱石、岩波文庫、一九八九年
・『大尉の娘』アレクサンドル・プーシキン、神西清訳、岩波文庫、二〇〇六年
・『父と子』イワン・ツルゲーネフ、金子幸彦訳、岩波文庫、一九六〇年
・『戦争と平和』（全六巻）レフ・トルストイ、藤沼貴訳、岩波文庫、二〇〇六年
・『帝政末期のモスクワ』ウラジーミル・ギリャロフスキー、村手義治訳、中公文庫、一九九〇年
・『私人――ノーベル賞受賞講演』ヨシフ・ブロツキイ、沼野充義訳、群像社、一九九六年
・『ドクトル・ジバゴ』（上・下）ボリス・パステルナーク、江川卓訳、新潮文庫、一九八九年
・『過去と思索』（全三巻）アレクサンドル・ゲルツェン、金子幸彦・長縄光男訳、筑摩書房、一九九八〜九九年
・『評伝ゲルツェン』長縄光男、成文社、二〇一二年
・『ゲルツェンと1848年革命の人びと』長縄光男、平凡社新書、二〇一五年
・『スペードの女王・ベールキン物語』アレクサンドル・プーシキン、神西清訳、岩波文庫、二〇〇五年
・『白鯨』（上・中・下）ハーマン・メルヴィル、八木敏雄訳、岩波文庫、二〇〇四年
・『ペンギンの憂鬱』アンドレイ・クルコフ、沼野恭子訳、新潮社、二〇〇四年
・『大統領の最後の恋』アンドレイ・クルコフ、前田和泉訳、新潮社、二〇〇六年
・『手紙』ミハイル・シーシキン、奈倉有里訳、新潮社、二〇一二年
・『ジプシー・青銅の騎手 他二篇』（『ポルタワ』収録）アレクサンドル・プーシキン、蔵原惟人訳、岩波文庫、一九五一年

著者プロフィール

奈倉有里（なぐら・ゆり）

一九八二年一二月六日東京生まれ。二〇〇二年からペテルブルグの語学学校でロシア語を学び、その後モスクワに移住、モスクワ大学予備科を経て、ロシア国立ゴーリキー文学大学に入学、二〇〇八年に日本人として初めて卒業し、「文学従事者」という学士資格を取得。東京大学大学院修士課程を経て博士課程満期退学。博士（文学）。研究分野はロシア詩、現代ロシア文学。二〇二一年、博士論文『アレクサンドル・ブローク 批評と詩学 ――焼身から世界の火災へ――』で第二回東京大学而立賞を受賞。主な訳書に、ミハイル・シーシキン『手紙』、リュドミラ・ウリツカヤ『陽気なお葬式』（以上新潮クレスト・ブックス）、ボリス・アクーニン『トルコ捨駒スパイ事件』（岩波書店）、フョードル・ドストエフスキー『白夜』『未成年（縮約版）』（『ポケットマスターピース10 ドストエフスキー』集英社文庫ヘリテージシリーズ）、ウラジーミル・ナボコフ『マーシェンカ』（『ナボコフ・コレクション マーシェンカ／キング、クイーン、ジャック』新潮社）、サーシャ・フィリペンコ『理不尽ゲーム』（集英社）など。雑誌「世界」「すばる」などでロシアの動向について、ジャーナリスティックな文章も発表している。

校正　東京出版サービスセンター

夕暮れに夜明けの歌を
文学を探しにロシアに行く

発行日　二〇二一年一〇月一四日　第一刷発行
二〇二二年　五月二三日　第三刷発行

著者　奈倉有里

編集発行人　穂原俊二

発行所　株式会社イースト・プレス
〒一〇一 - 〇〇五一
東京都千代田区神田神保町二 - 四 - 七　久月神田ビル
TEL 〇三 - 五二一三 - 四七〇〇
FAX 〇三 - 五二一三 - 四七〇一
https://www.eastpress.co.jp

印刷所　中央精版印刷株式会社

978-4-7816-2012-1 C0095